大英自然史博物館
の《至宝》（トレジャーズ）250

大英自然史博物館［編］
国立科学博物館［日本語版監修］
武井摩利［訳］

TREASURES of the Natural History Museum

創元社

目 次

はじめに

8000万点以上の標本、100万冊以上の蔵書、50万点以上の絵画を収蔵する大英自然史博物館〔正式名称はNatural History Museum〕は、世界で最も大規模で最も重要な自然史関連コレクションのひとつが安住する場所です。本書は、そのたぐいまれな収蔵品の一部を取り上げ、魅力を伝えるために作られました。世界的に有名な標本やあまり知られていない珍しい収蔵品とともに、200年の歴史を持つ大きな建物そのものから選んだ建築面の「至宝」も紹介されています。「至宝」たちは展示物からも、収蔵庫にしまわれている品物からも選ばれ、おなじみのものもあれば、これまで一度も公開されていないものもあります。選定の理由はさまざまです。学術的重要性、息をのむ美しさ、ときには面白いエピソードを持っているから、などなど。私たちはコレクションを知り尽くした研究者や学芸員たちだけでなく、館外の社会と接しているスタッフたちとの話し合いを経て、自然界の驚異への讃歌を謳いあげる幅広い「至宝」を選び出しました。このページの活字1個くらいのサイズの巻貝や、35億年前の化石に残る地球上最初の生命の痕跡を、じっくりご覧ください。本書には、稀少なもの、美しいもの、並はずれているものも含めて、大英自然史博物館の最高の収蔵品が披露されています。

日本語版監修者序文

国立科学博物館 副館長・人類研究部長
篠田謙一

The Natural History Museum はロンドンのサウスケンジントンにある世界でも有数の自然史に関する博物館で、本書はこの博物館が所有する選りすぐりの標本を紹介しています。館の名称は直訳すると「自然史博物館」になるのですが、それではどこの国の博物館かも分からないので、日本では「ロンドン自然史博物館」とか「英国自然史博物館」、あるいは「大英自然史博物館」と訳されています。同じ博物館を示す日本語の名称が三つもあって紛らわしいのですが、前の二つの名称は地名に関係し、大英自然史博物館という名称はこの博物館の由来が係わっています。

1753年、本書でもそのコレクションが紹介されているハンス・スローンという人物が亡くなります。彼は王室を含む上流階級の人たち専門の医者で、同時に有名な科学者でもありました。1719年にはイギリス王立協会の会長をニュートンから引き継いでいます。彼は93歳の天寿を全うしたのですが、生前は様々な標本を集めるコレクターとしても有名で、死後には書籍、絵画、動植物の標本、鉱物やコインなど膨大な数の名品珍品のコレクションが残されました。それらは国家によって買い上げられ、それを元に1759年に大英博物館が開館することになりました。

大英博物館はその後も様々な標本を収集していったのですが、1856年にリチャード・オーウェンという比較解剖学者が自然史部門長に就いたことで、新たな歴史が刻まれることになります。オーウェンは学者としても一流でしたが、政治家にも影響力を持つ人物でした。彼はその権力を利用して、1881年、増え続ける自然史分野のコレクションを収納展示する施設をサウスケンジントンに設立しました。この建物が今日の The Natural History Museum となるのです。しかし、組織としての大英博物館から独立したわけではなかったので、当時は大英博物館（自然史）と呼ばれていました。それが独自の評議委員会を持つ博物館として独立するのは1963年のことです。更に1992年にはその正式名称を The Natural History Museum と定める法律が施行されて現在に至っています。大英博物館（自然史）と呼ばれる期間が長かったので、現在でも大英という名称を冠した「大英自然史博物館」という名称も用いられています。

大英自然史博物館が収蔵する標本は2016年時点で8000万点を越えていると言われています。それは標本を収集し、分類して保存していくという作業を250年以上にわたって行ってきた結果なのですが、博物館の展示場で見ることのできる標本は2万点程度ですので、そのほとんどは収蔵庫に収納されていることになります。大英自然史博物館には、このような作業に従事する研究者や標本の管理者が全部で300名ほどいます。なぜ、博物館はこのような手間と時間をかけて標本を収集しているのでしょうか。それはこの博物館が持つ使命が関係しています。

大英自然史博物館は、地球の歴史や生命の起源とその進化、生物の多様性や持続可能な未来のために私たちが何をすべきなのかを展示品を通して伝えることを目的としています。そのために最も適切な標本が選ばれて私たちの目の前に並べられているのですが、それだけでは進化や多様性、地球の歴史を知ることはできません。博物館が集めて、保管しているのはそれらの証拠となる標本であり、将来にわたって行われていく研究のための材料なのです。大英自然史博物館は、そのスタートは世界の珍しい品々を展示する

場でしたが、現在では地球や生物の歴史を物語るコレクションの保存と研究、そしてそこから生み出される最新の科学の成果を示す場所となっています。

　本書が紹介する標本の中には、ダーウィンがビーグル号で集めた標本のように科学の歴史を塗り替えたものもあります。また、チャレンジャー号などの探検によってイギリスが世界中から集めた標本もありますし、中には日本から持ち帰られたものもあります。通常は自然史博物館の標本としてあまり意識されませんが、図書や絵画、手記や手紙も貴重な標本です。大英自然史博物館は100万冊以上の書籍と50万点におよぶ絵画資料を所蔵していますが、本書で紹介されているのは、その中でも有名な本の原稿やスケッチです。また、大英自然史博物館の標本の中には、持つものを不幸に陥れるという呪われたアメジストのように、驚くべきエピソードを持つものもあります。そんな標本の存在も、この博物館の持つ長い歴史を物語っているのです。

　標本は、言うまでもなくそれ自体が科学の世界で重要なものです。しかし、それを集めたのは人間ですから、収集とその人物にまつわるエピソードにも事欠きません。つまり標本には二つの異なる価値があるのです。もちろん金銭的な価値を持つ標本もありますが、通常それは博物館の中では些末なものとしてあつかわれます。本書では、さまざまな標本の持つ科学的な価値と収集者にまつわるエピソードが紹介されており、科学が人の営みであるということ、眼前にある標本がどのような経緯でもたらされたものであるかを知ることができるようになっています。

　1762年、キャプテン・ジェームス・クックによるエンデヴァー号の探検に同行した若き博物画家シドニー・パーキンソンは、博物学者ジョセフ・バンクスやダニエル・ソランダーが、この航海中に集めた数千の植物や動物の博物画を描きました。彼はその航海の途中で病を得て、イギリスに帰国することなく、わずか26歳で亡くなります。テラ・ノヴァ号で南極を目指したロバート・ファルコン・スコットは、1912年に南極点到達を果たしましたが、帰途遭難し帰らぬ人となりました。しかし彼が南極で集めた植物グロッソプテリスの化石は、大陸が移動するということを示す証拠となったのです。本書の魅力は、標本の解説を通してそれらが持つ科学的な重要性を認識することにとどまらず、収集の過程を知ることで、人類の知の探求への真摯な努力を知ることができることにあるのです。

　最後に「大英自然史博物館展」（2017年3月18日（土）〜6月11日（日）東京・上野、国立科学博物館）と本書の関係についてご説明しましょう。この展覧会は大英自然史博物館が初めてその収蔵品を世界巡回に出したもので、日本が最初の開催地になりました。本書の監修をした国立科学博物館のメンバーも、全員その企画に関わっています。展覧会で供覧された標本は370点ほどで、中には日本側のリクエストで加えられたものもありますが、多くは大英自然史博物館から提示されたものです。その中には、本書で取り上げられた標本も数多くあります。一方、展覧会のコンセプトに合わないもの、あるいはコンディションの問題で巡回に耐えられないと判断されたものなどがあり、両者は一致しているわけではありません。展覧会で見ることのできなかった標本にはどんなものがあるのか、あるいは本書で取り上げられなかったのはどの標本なのか，比べてみるのも面白いと思います。

大英自然史博物館訪問記——標本とその記録の魅力

国立科学博物館　動物研究部脊椎動物研究グループ研究主幹

川田伸一郎

図1　大英自然史博物館
図書室での著者

大英自然史博物館の標本収集

　分類学者の研究では、目的とする生物がどのようにして命名されてきたかということについて、十分な知識を得ることが必要になります。どういった人物が何年にどのような名前を命名したのかを歴史的に理解しておかなければ、誤った新種記載をしてしまうことになりかねません。生物の学名は新種記載に用いられた標本、すなわち模式標本（タイプ標本）と呼ばれるものが、その名前の証拠として残されているからこそ、それとは別の種を判定することができるのです。そのため模式標本は博物館で永続的に保管されることになっていて、最も重要な標本と称されるのも当然といえます。僕は哺乳類のモグラ類について分類学的な研究、つまり世界に何種のモグラが生息しているのか、という研究をしていますが、やはり模式標本を実際に観察してみなければどうにも判定がむつかしいものが多々あります。アジア地域のモグラ類について分類学的研究が本格化したのは1840年頃ですから、その当時の標本が残されている博物館を訪問することが、研究を進める上で必須の活動となります。

　大英自然史博物館にはこの模式標本が非常に多く残されています。これは19世紀を通じて多くのアジア諸国に外交官として送り出された英国人が、当時の「紳士の嗜み」として博物学に関心を持っていたことや、動植鉱物かまわずなんでもモノを集めては英国へと送っていたことが

一役買っているのでしょう。これらの標本ののほとんどが大英博物館、後には大英自然史博物館へと収められることとなります。例えば本書には登場しませんが、19世紀半ばに外交官としてネパールやインド北部に駐留したブライアン・ホジソンは、これらの国の自然史資料として大量の動植物を送っただけでなく、仏教に関する研究までも行い、ヨーロッパに紹介しています。彼が送った標本の中にはこの地のチビオモグラ *Euroscaptor micrura* が多数含まれており、1841年にそれらを模式標本として彼自身が記載を行いました。モグラは英国を含むヨーロッパに広く知られた動物でしたが、当時はまだアジア地域に土の中に住むこのトンネル生活者が分布していることは知られていませんでした。アジア地域のモグラ研究は英国人によって開始されたのです。

　大英帝国の守備範囲はさらに東方へと拡大され、日本にほど近い中国や台湾という地域にまで迫っていました。この地域にはロバート・スウィンホーが、やはり外交官として落ち着き、彼によって同様な標本収集や博物学研究が行われています。特に彼の業績の一つとして、台湾の哺乳類相が初めてまとめられたことが、僕にとっては重要です。彼がこの論文で記載した哺乳類の一つとして、領事館があった淡水（Tamsui）付近で捕獲したというタイワンモグラ *Mogera insularis* があります。標本は大英自然史博物館へと送られて、模式標本として大切に保管さ

図2 タイワンモグラの模式標本。19世紀にもたらされた標本は現在も良好に管理されている。

れています（図2）。この標本が僕を英国へといざなうきっかけとなるのです。

大英自然史博物館へ行こう

僕が初めて大英自然史博物館を訪問したのは、2004年11月のことでした。僕はこの頃大学院博士課程を終えて、オーバードクターとして貧乏生活を送っていました。この3年ほど前から、台湾でモグラの調査を行っており、その過程でどう見ても異なる形態的特徴を持つモグラが平地と山地で採集され、本格的に分類学的研究を進めようとしていたころです。「山モグラ」が平地のものとは別種であることはほぼ間違いなさそうです。ところが重要なのは、スウィンホーが記載したタイワンモグラが、果たして平地タイプか山タイプかを明らかにしなければ、どちらを新種として記載すればよいのかが判定できません。論文に書かれている計測値などの情報ではこの点は明確になりませんでした。やはり模式標本を実際に観察・計測して調べる必要があります。

僕は大英自然史博物館の小哺乳類研究者であるポーラ・ジェンキンスさんにメールを送り、上記のような理由でどうしても大英自然史博物館にあるタイワンモグラの模式標本を調べる必要があること、合わせて可能ならばアジア地域で捕獲されたモグラ類の標本をすべて調査したい旨を伝えました。調査を希望する期間についても候補をいくつか挙げて、ジェンキンスさんの都合が良い日も同様に伺いました。返答は数日後に来て、標本の調査は可能とのこと。博物館のバックヤードにある標本調査はこのように研究者間のやり取りで進められていきます。

世界最大の博物館で研究する

初めての大英自然史博物館は、まず誰もがそうであるように、建物の壮大さに圧倒されます。ゴシック建築の建物は1881年に自然史部門が大英博物館から独立して、このサウスケンジントンへ移動してから姿をほとんど変えていません。来館者用の入り口は大通り（クロムウェル・ロード）に面した建物正面にありますが、研究者などが来館した際には東側のエキシビション・ロード沿いにあるスタッフ用の入り口から入ります。受付で哺乳類標本を観察に来た旨を伝えたところ、迷路のような展示室を通過し、スタッフ専用の扉がある場所まで案内されてジェンキンスさんに対面することができました。途中に常設展示がちらほらと見えましたが、さすがに見事なもので、天井高が10メートル近くある壁面一杯に古生物標本が陳列された場所は特に目を引きます。ところがこの博物館の本当の素晴らしさは、バックヤードにあります。彼女に連れられてスタッフ限定エリアに入ると哺乳類の専門書が両壁面の手が届かない場所にまで並んでおり、収蔵庫では大型偶蹄類の頭骨が所狭しと壁に張り付いています。これまた複雑な迷路のような

図3　ミズラモグラの模式標本。本種はこれまで *Euroscaptor* 属の一種とされていたが、2016年12月に著者によって *Oreoscaptor* 属として新属記載が行われた。

通路を経て、最終的にたどり着いたのは、広い部屋に大型キャビネットが立ち並ぶ、小哺乳類の標本室でした。

　ジェンキンスさんはモグラ類の標本が保管されているキャビネットを指示してくださり、標本調査用の机がある小部屋へ自分で運んで自由に調べてよい、といいました。模式標本も同様です。僕はこの頃までにいくつかモグラに関する論文を国際誌に発表してはいましたが、日本から来た初対面の若手研究者に対してそれほど信用してくれるのだな、とありがたく思い、慎重に一つ一つ標本を手に取って調べていきました。目的のタイワンモグラの模式標本を調べて、間違いなく台湾の平地に分布するものと同種であることを確認し、そのあとはアジア地域で収集された各種のモグラたちの番です。

　大英自然史博物館のコレクションには、日本から運ばれて収蔵されているものも多数ありました。例えば僕が愛してやまないミズラモグラ *Oreoscaptor mizura* という本州の山地にしか生息していない小型のモグラがそれです（図3）。明治初期に日本に滞在して標本収集を行った英国人ヘンリー・プライアが、関東地方で得た小さなモグラをこの博物館の当時の脊椎動物研究者アルバート・ギュンターに送り、1880年にこの標本を模式標本として記載が行われた種です。ミズラモグラは現在でも捕獲するのが非常に難しいモグラで、多くは登山者が山道で死亡している個体を拾った記録で知られるという、変わった種です。ギュンターが記

載したのち、50年以上にわたって再確認ができなかった種であり、この種が日本で捕獲されたというのは間違いだったのではないか、と考えられていました。ところが1949年頃に国立科学博物館の今泉吉典が多数のモグラが入った液浸標本瓶の中に、本種が混ざっていたのに気づいて再発見がなされたのです。模式標本を送ったプライアは昆虫学分野では著名で、日本産チョウ類についての研究を行った人物です。彼は1871年ころ来日し、日本各地で標本収集を行いましたが、1888年に横浜で死去しました。僕はこの英国滞在の後に、プライアはどのようにしてこの珍品ミズラモグラを入手できたのだろうか、ということにも興味を持つこととなります。

　模式標本の中には神戸でリチャード・ゴードン・スミスが収集した大型のモグラ *Mogera kobeae* もありました。ゴードン・スミスは1900年を過ぎたころ、大英自然史博物館の当時の館長レイ・ランケスターより哺乳類標本の収集を依頼されて日本に滞在した人物です。標本のラベルには彼の直筆の文字で動物名・日付・計測値といった情報が記されていました。なかなか解読するのが困難な達筆で、彼も100年以上たってから自分の文字が日本人に読まれるとは思わなかっただろうなと苦笑しました。博物館は半永久的に標本を保存する場所ですから、ラベル文字などにも気を使って丁寧に記すべきだと感じたのです。さらに有名なベドフォード侯爵主催の東アジア動物学探検のコレク

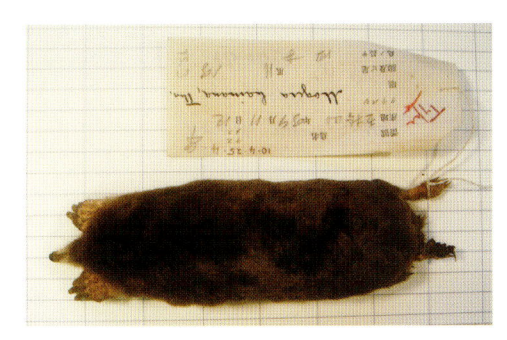

図4 ハイナンモグラの模式標本とそのラベル。ラベルの書式及び文字が日本語で記されている点に注意。

ションがあります。これは米国人採集人マルコム・アンダーソンが日本人通訳とともに日本列島で哺乳類採集を行ったもので（158ページ参照）、屋久島で捕獲されたモグラには *Mogera kanai* と命名され、後に諏訪市長となるアンダーソンの日本人通訳、金井清の名が記念されています。これら1900年前後に記載された哺乳類は大英自然史博物館の哺乳類研究者オールドフィールド・トーマスが記載したものです。彼はおそらく史上最も多くの哺乳類新種記載を行った人物として知られ、アジアだけでなく5大陸すべての哺乳類の命名者として彼の名があります。大英自然史博物館が当時世界各地から標本を収集していたことを物語っています。これら2つの *Mogera* 属の学名は、現在ではシーボルトが採集した標本をもとに記載されたコウベモグラ *Mogera wogura* と同一種（ただし *M. kanai* は亜種ヤクシマモグラ）とされていますが、将来分類学的に再検討ができるように、模式標本を担う学名は永遠に不滅です。

　また日本産の種ではないのですが、僕の目を引いたものでその後の僕の研究テーマに大きく影響を与えた標本が、中国海南島で捕獲されたハイナンモグラ *Mogera hainana* の模式標本です。やはりトーマスにより命名されたこのモグラには採集当時のラベルが添付されていたのですが、そこに記されている文字及びラベルに印字されている項目が、なんと日本語で書かれていたのです（図4）。この時はそのことに驚いただけだったのですが、後にこの不可解な

ラベルを求めて、僕は大英自然史博物館を再訪することとなるのです。

大英自然史博物館アーカイブの魅力

　台湾のモグラを巡る研究のその後についてですが、調査を進めるうちに実は台湾山地のモグラが1930年代には独立種として学名が付けられていたことがわかりました。ところがこの学名を記載した論文は出版されていないようです。学名はただその動物にこういう名前を付けました、というだけでは成立しません。学名を与えられた種がどのような特徴を持ち、これまでに知られているすべての種とどのように異なるのかを記載しなければ、無効となるのです（これを専門用語で「裸名」といいます）。そこで、山地のモグラに新しい学名を与えて再記載するという形で結論することとなりました。ここに至るまでに、台湾産モグラに関する文献を読み漁り、台湾の山地に生息するモグラに学名を与えたことになっている動物学者岸田久吉や、その事実を文章として残した博物学者鹿野忠雄について調べていくうちに、哺乳類の研究史についての興味が次第に強くなってきたのです。そして大英自然史博物館で見たハイナンモグラのラベルの謎、このモグラを採集した人物は誰だったのか、そしてあのラベルを記した日本人とは何者なのかという、不可解な謎に挑戦しようと思い始めたのは、僕が国立科学博物館の研究員になった後のことでした。

　ハイナンモグラの記載論文によると、アラン・オースト
ンという人物がこの標本の送り主であることがわかりま
す。オーストンは鳥類や魚類の分野で有名ですが、当時横
浜で貿易商を営みながら自然史標本の収集を行った英国人
です。そして採集者については海南島で雇用した現地の採
集人という記述があるだけです。ところがラベルの様式や
文字は日本語で書かれていたことから、採集者に関する記
載論文の記述は疑わしいものと思われます。この時代の海
南島に関与した日本人がいたのかどうか、詳しく調べてみ
ると、長沼依山という児童文学作家が執筆した『海南島
の開発者　勝間田善作』という伝記が見つかりました。驚
いたことに、静岡県出身の勝間田善作という人物がオース
トンに出会い、鳥類標本の収集を手伝っていたこと、後に
沖縄に採集旅行へ行き、さらには海南島へと送り込まれる
様子が描かれています。ところがその足取りにはよく分か
っていないことが多く、現存する文献だけでなく標本が送
られる際に交換された書簡などを調べる必要があると思い
あたりました。

　今一つ、大英自然史博物館の素晴らしいところは、これ
までに収集してきた標本について、入手の際のやり取りや
標本の送り状といった書簡までもが、アーカイブとして保
管されているところです。そしてそれがデータベース化さ
れており、基礎情報ならばインターネットで検索可能にな
っています。そこでオーストンや勝間田のキーワードで検
索してみたところ、確かに彼らが大英自然史博物館、およ
び現在同館の鳥類部門として機能しているトリング市のロ
スチャイルド動物学博物館へ送った手紙が多数保管されて
いることがわかりました。きっとこれらの書簡を読めば詳
しい状況がわかるに違いない、僕は2012年11月に二回
目の大英自然史博物館調査へと向かうことになりました。

未知の情報を秘めたアーカイブ

　再び研究者専用の入り口から館内へ入り、まずはジェン
キンスさんと再会して、オーストンが活躍した時代に日本か
ら英国へと送られた哺乳類標本をひたすらチェックしてリス
トにしていきます。これに二日ほどをかけて、いよいよ図書
室でのアーカイブ調査です。ここではデイジー・カニンガム
さんというアーカイブ担当司書と事前に連絡を取り合ってい
ました。図書室は古めかしい書棚にぎっしりと、触るのもた
めらわれるような貴重な書籍が並んでいます。広いテーブ
ルに僕が事前にお願いしていた資料がすでに並べられてお
り、写真を撮るなりじっくり読むなり自由にやりなさいとの
ことです。多くの書簡は年代ごとに厚紙に張られて製本さ
れており、たいそう分厚いものになっています（図5）。標本
だけでなくこういった資料までもが見事に整理されている点
は、我々の博物館も見習うべきところがあります。

　オーストンが英国へ送った手紙はおびただしい数で、英
国との標本のやり取りは1890年頃からロスチャイルド動

物学博物館のライオネル・ウォルター・ロスチャイルドとの交流によって開始されたことがわかりました。オーストンはロスチャイルドへ日本や周辺諸国の鳥類や昆虫類を主とする自然史標本を送るために、日本人の採集人を多数育成し、横浜にあった彼の会社であるオーストン商会の職員をも動物採集に送りだしていたようです。本書に関連があるものとして、206ページに掲載されているグアム島の鳥類卵標本は、1894年にオーストン商会の Furusawa Genji と Okazaki Riuichi という二名をカロリン諸島からグアムへと派遣し採集させたものだったようです。調査地滞在中の Okazaki からオーストンへ送られた手紙もロスチャイルドへと転送され、ちゃんとアーカイブに保管されていました。これらの資料によると Furusawa の方は1896年3月末に調査地で客死したことも伝えられています。

　古いものから手紙をめくっていくと、1899年にオーストンがロスチャイルド動物学博物館の研究者エルンスト・ハータートへ送った手紙に、同年4月に八重山諸島へ採集人を送ってロスチャイルドのために標本収集をさせたという内容が書かれていました。そしてその二年後には、同じ採集人を海南島に送る計画があることをハータートへ伝えています。この人物は Ishida という名前であることが書かれているのですが、前述の勝間田の伝記には本名が「石田善作」であり、海南島に渡航する際に日本での姓を捨てて骨をうずめる覚悟で「勝間田」姓に改名したということ

が書かれていたことを僕は思い出しました。手紙によると1901年8月に勝間田（石田）は海南島に到着しています。その後1907年までオーストンとの契約のもとに標本収集を続けたことがわかりました。ハイナンモグラの模式標本が採集されたのは1906年11月12日ですから、やはり勝間田が採集者であると考えてよさそうです。勝間田はその後オーストンとの契約を打ち切られるのですが、海南島にとどまり、実業家として成功しました。

　このように標本とそれにまつわるエピソードが合わせて保管されている大英自然史博物館の資料管理システムは、100年以上を経た今も新知見をもたらす宝箱として機能しているのです。本書は同博物館の至宝を紹介したものですが、これら一つ一つの至宝について、ここまで詳細な歴史的記述ができるのも、アーカイブ機能を備えた博物館だからこそといえるでしょう。僕の3回目の大英自然史博物館訪問は、この至宝が初めて世界巡回する展示として来日することとなり、その事前調査のためでした。先方の展示担当者や研究者に先導されて、これまでに入ったことがない収蔵庫や資料庫を巡ってきましたが、ここでも面白そうな資料が多数見つかりました。250年以上の歴史はまだまだ奥が深いようで興味がつきません。次の大英自然史博物館訪問はもっと発見が多い、楽しいものとなりそうです。

（日本語版のための書下ろし）

建物

　博物館のゴシック様式の塔、雄大なアーチ、壮麗な外観を見て、もとは大聖堂だったのではないかと考える人もたくさんいます。けれどもこの建物は、最初から自然史博物館として —— 初代館長リチャード・オーウェンの言葉を借りれば「神の作り給いしもの」すべてを展示する「自然にささげられた大聖堂」として —— 建造されました。

　1856年に大英博物館の自然史コレクションの責任者となったオーウェンは、ぎゅうづめにされて劣化しつつあったそのコレクションを救うため、25年以上にわたって奮闘しました。彼の夢は、適切に管理された環境の中でだれもが地球上の生命の多様性を見て楽しむことができる、そんな新しい博物館をつくることでした。彼の最初のプランは一部の人から「ばかげていてクレイジーでとてつもない無駄づかい」とけなされましたが、1863年にイギリス議会は、その博物館のためにサウスケンジントンの土地12エーカーを購入することを承認しました。

　オーウェンは新進気鋭の若き建築家アルフレッド・ウォーターハウスと組んで、ゴシックの傑作を作り上げました。近代の鉄鋼フレーム技術とテラコッタ〔粘土を素焼きした焼き物〕のファサード〔建物正面のデザイン〕を採用し、ドイツ・ロマネスク建築に着想を得た建物が、徐々にその姿を現しました。建物は、ありとあらゆる生き物や植物で飾られました。高くそびえるアーチにはサルがしがみつき、円柱には鳥がとまり、壁の海草の間を魚が泳いでいます。開館は1881年のイースター・マンデー〔復活祭の翌日、英国では休日〕。その日の入場者は1万7500人を超えました。

彫刻

　細部まで精密に表現されたデリケートで美しいパンパスジカ（左下）とドードー（右ページ下、172ページ参照）の絵は、大英自然史博物館の名高い建物を設計した建築家アルフレッド・ウォーターハウスが描いたオリジナルです。建物の内外の円柱やアーチには彫刻がほどこされ、動植物をモチーフとしたすばらしいテラコッタで飾られていますが、それらはこうした絵をもとに制作されています。1881年に博物館の門が初めて開いた時、ウォーターハウスの設計は喝采をもって人々に迎えられました。

　自然史博物館は正面の外壁にテラコッタを使ったイングランド初の建物でした。テラコッタは安価で耐久性に優れた素材で、芸術家の作品に忠実な形を鋳型によって正確に再現できることで職人や設計家に好まれていました。ウォーターハウスは本物の標本を見て精密な絵を描き、それをファーマー＆ブリンドリーというモデラーに渡して、テラコッタとして命を吹き込んでもらいました。テラコッタのモチーフは大きくふたつに分けられ、現存する生物の像は建物の西半分の装飾に使われ、絶滅した生物は東半分に使われています。

PANEL over door way in south east Gallery, first floor

Dodo (Didus Ineptus)

天井画

　来館者の頭上高く、天井にすばらしい植物園があります。植物が描かれた162枚の天井パネルは、1881年の開館以来変わらずそこにあります。パネルの1枚1枚が、帝国を築き滅ぼした植物、人類に恐ろしい苦難を味わわせた植物、美しさで人々を楽しませた植物などの物語を語りかけてきます。

　描かれた植物には、英国の在来種とはるか遠くの植民地からもたらされた外来種の両方があります。リチャード・オーウェンとアルフレッド・ウォーターハウスが、いつ、どういう理由でこれらの植物を選んだのかについては、正確な記録がありません。けれども、この絵が天井の漆喰に直接描かれていることはわかっています。おそらく画家たちは足場にあおむけに横たわり、顔の上で絵筆を走らせたのでしょう。それぞれの植物はパネル6枚にわたって枝を広げ、天井に見事な成長と動きの感覚を与えています。

　歳月とともに色褪せやひび割れが生じることは避けられません。そこで1975年に1年間天井を覆って修復作業が行われ、オリジナルが持っていた豊かな色彩と金箔が復元されて、見ほれるような今の状態を取り戻しました。

GOSSYPIVM・BARBADENSE

IBROS NATVRALIS HISTORIAE

nouitiū camenis qritiū tuox opus natū apud me
proxima ictura liccatiore epistola narrare cōstitui
ui te iucūdissime imperator. Sit enim hęc tuī pre-
fatio uerissima:dum maxime consenescit ī patre.
Namq; tu solebas putare esse aliqd meas nugas:
ut obscure moliar Catullum conterraneū meum
agnoscis & hoc castrēse uerbum:ille enim ut scis
pmutatis prioribus syllabis duriusculum se fecit
q̃ uolebat existimari a uernaculis tuis & familis.
Simul ut hac mea petulantia fiat q̃ proxime non
fieri questus es in alia procaci epistola nostra ut in
quędam acta exeant. Sciatq; omnes q̃m exequo
tecum uiuat iperium triūmphalis & censorius tu
sexieſq; cōsul ac tribunitię potestatis particeps:et
q̃ iis nobilius fecisti dū illud patri pariter & eques-
tri ordini prestas prefectus prętorii eius omniaq;

hęc rei publicę:et nobis quidē qualis in castrēsi contubernio. Nec qcq̃ mutauit ite fortunę
amplitudo in his:nisi ut prodesse tantundē posses ut uelles. Itaq; cū ceteris iueneratione
tui pateant omnia illa:nobis ad colēdum te familiarius audatia sola supest. Hanc igitr tibi
imputabis:et in nostra culpa tibi ignosces. Perfricui facie:nec tamē profeci quoniam alia
uia occurris:igens & longius etiam summoues igetibus fascibus fulgorat in nullo unq̃
uerius dicta tuis eloquētię tribunitię potestatis facundię: q̃to tu ore patris laudes tonas:
q̃to fratris amas:q̃tus ipoetica es. O magna fęcunditas animi quēadmodum frem quoq;
imitateris excogitasti:sed hęc quis posset itrepidus extimare subiturus igenii tui iuditiū
presertim lacessitum. Neq; eim similis ę conditio publicantium & noiatim tibi dicantiū.
Tum possem dicere qd ista legis iperator humili uulgo scripta sunt agricolæ opificum
turbę denioſ:studioſ ociosis quid te iudice facis:quia hanc operam cum dicere nō eras in
hoc albo:maiorem te sciebam quā ut defensurum huc putarem. Preterea est quędam
publica etiam eruditoſ reiectio:utitur illa:et M. Tullius extra oēm ingęs italiam positus
etq; miremur per aduocatum defendiſ nec doctissimum ōnium Persium hoc legere uolo
Lelium Congium uolo. Qꝫ si hoc Lucilius qui primus condidit stili nasum legerit quasi
abusionem & uituperatione reputabit:primus enim satyricum carmen conscripsit i quo
utiq; uituperatio uniuscuiusq; continet. Nasum aūte dixit quasi uituperationis signū uel
maxime naso declarandum dicendumq; ę si aduocatum sibi putauit Cicero mutuandum
presertim cure de re publica scriberet quanto nos cautius ab aliquo iudice defendimur.

ライブラリー
Library

最古の本

　『博物誌』は、自然史博物館の蔵書のなかで最も古い書物です。著者はローマの自然哲学者で著述家の大プリニウス。彼は『博物誌』を西暦69年に著しましたが、自然史博物館にあるのは印刷された版のうち最も早い時期のもののひとつで、印刷機発明後30年もたっていない1469年にヴェネツィアで出版された本です。この本は、動物学、植物学、地理学、人間生理学、冶金学、鉱物学という自然史の全領域をあつかった初めての出版物でした。それ以前の多数の著作からの引用を含み、最初に書かれた時点では自然史に関する唯一にして最も重要な情報源だっただけでなく、1300年後のルネサンスまでその地位にとどまり続けたのです。また、あつかう主題の幅広さという点で、後世のあらゆる百科事典のモデルとなりました。

　『博物誌』は過去の諸文化の習慣や考え方の貴重な記録であるだけでなく、それ自体がひとつの芸術作品です。ラテン文字で書かれた355ページのこの版の一部のページは金箔や彩色で装飾されており、ただでさえかけがえのないこの書物に美しい彩を加えています。

プルークネット・コレクション

　他のどんな昆虫コレクションよりも古い、1700匹の昆虫コレクション。これがとりわけ異彩を放つのは、昆虫を平らにプレスして1冊の本のページにのりづけするという、丹念な手法が使われているからです。まるで押し花のようです。それもそのはず、1690年頃にこれを作ったのは植物学者のレナード・プルークネット（1642−1706）でした。このコレクションは当時の著名なコレクターであるハンス・スローン〔66、69、152、166ページも参照〕の目に留まり、本はスローンに買い取られました。スローンの死後、彼の膨大なコレクションを一括管理するために大英博物館が創設されることになります。自然史博物館は後に大英博物館の分館として誕生したため、現在この本を収蔵しているのです。

　この本のような至宝をながめていると、これを作ったのはきっと有名な人物だろうと考えがちですが、プルークネットについて書かれた記録はごくわずかしかありません。それでも私たちは、彼がスローンの同時代人で、セントラル・ロンドンのウェストミンスター地区に小さな植物園を持っていたこと、そして、その植物園に世界中の植物をすべて集めたいと願っていたこと、没した時には8000種の植物がそこで育てられていたことを知っています。プルークネットは、ハンプトン・コート宮殿の王室庭園の管理者もつとめていました。

マリア・ジビーラ・メーリアンのスリナム滞在

画家で博物学者だったマリア・ジビーラ・メーリアンが自著『スリナム産昆虫変態図譜』に描いたあざやかな絵は、彼女が"生まれる時代が早すぎた"女性だったことを示しています。1705年に初版が出版され、長辺が50センチもあるこの本の60枚の絵のそれぞれが、ヨーロッパの読者に感銘を与え、南米のチョウや植物やその他の野生生物のことを初めて紹介しました。上の写真の図版はメガネカイマン（*Caiman crocodilus*）とサンゴパイプヘビ（*Anilius scytale*）、右ページはイドメネウスフクロウチョウ（*Caligo idomeneus*）、カイコガの仲間の幼虫、カリバチ、ベニサンゴバナ（*Pachystachys coccinea*）の絵です。

この本は、メーリアンが魅了された"変態"に焦点を合わせています。今も幅広い調査研究が行われている変態という神秘的なテーマへの彼女の貢献は、はかりしれないも

のがあります。メーリアンが自宅のあるオランダから遠く離れた南米で2年を過ごしはじめたのは52歳の時でした。ずいぶん思い切った行動です。女性の平等と教育を奨励したプロテスタント運動であるカルヴァン主義の信奉者だった彼女は、自分の人生を自ら決めて進み、夫と離婚して娘を連れ、南米北部のベネズエラに近いスリナムにあるカルヴァン主義の伝道所へと海を渡りました。彼女は伝道所を拠点として、その地の野生生物だけでなく、スリナムという小さな国の文化のさまざまな面を観察しました。

時には奴隷のアフリカ人や現地先住民の力も借りました。たとえば、奴隷の女性たちはオオゴチョウ（*Caesalpinia pulcherrima*）という植物の一部分を堕胎薬として使用しており、メーリアンはこのオオゴチョウを記録した初のヨーロッパ人となったのでした。

26

オウムのくちばしに似た植物

英名をparrot's bill（オウムのくちばし）というクリアントゥス・プニセウス（*Clianthus puniceus*）のこの美麗な水彩画は、史上最も名高い探検航海のひとつに数えられるエンデヴァー号の航海（1768–1771）の際に描かれました。作者はシドニー・パーキンソンといい、学術的発見の偉大な後援者であるジョゼフ・バンクスによってこの航海のために自然史画家として選ばれた、才能あふれる若者でした。写真が発明される前は、こうした絵画が、海の向こうに何があるのかを西洋の人々に一目でわかる形で示したのです。英国の航海長にして探検家のキャプテン・クックを艦長とするエンデヴァー号は、タヒチで金星の太陽面通過を観測するという目的を掲げてイングランドを出発しますが、出港直前に、バンクスと彼が率いる科学者、画家、従僕、そして2匹の犬が、別の秘密の使命を果たすために乗り込んでいました。その使命とは、「テラ・アウストラリス・インコグニタ（未知の南方大陸）」と呼ばれる巨大な陸塊があるという噂の調査です。航海は3年に及び、彼らはニュージーランドがオーストラリアとつながっていないことを証明し、オーストラリア東海岸全体の地図も作成しました。パーキンソンにとっては苛酷な仕事で、不幸にも彼は帰途についた船の上で赤痢と高熱によって26歳の若さで他界し、故国に帰りつくことができませんでした。

ゲオルク・エーレット

1700年代最大にして最も多作な植物画家、ゲオルク・エーレット（1708–1770）は美しい水彩画で知られますが、上の図版のようなスケッチには注記や考えも記されていて、芸術家としての彼の姿勢がうかがえます。何かの植物を紙に描く前にどれくらいの時間をかけて対象を理解したかや、成熟した植物だけでなく種子や花まで詳しく調べていたこともわかります。エーレットは芸術家である前に、まず第一に植物愛好家だったのです。

オーストラリアのアボリジニ

　これは、ヨーロッパ人がオーストラリアのアボリジニを描いた、最も古い絵の1枚です。作者は「ポート・ジャクソンの画家」と称される氏名不詳の人物で、英国からオーストラリアに何百人もの流刑囚を運んだ船団の船員ではないかと見られています。バロデレーという名で呼ばれていた男性を描いたこの絵からは、画家独自のスタイルと才能が見て取れます。この作品を含め、アボリジニの姿は非常に好意的な視線で描かれており、植民者と先住民が初めて接触した頃は両者の間に良好な関係があったことが反映されています。オーストラリアに流された最初の囚人たちが英国を出たのは1787年5月13日。彼らはファースト・

フリート〔最初の船団〕として知られる11隻の船に乗せられ、オーストラリアのニューサウスウェールズに入植地を築くために海を渡りました。囚人と船員は新たな植民地で目にした動物や植物や先住民を何百枚もの絵に描き、そのうち629枚が「ファースト・フリート・コレクション」として自然史博物館に所蔵されています。人間、植物、昆虫、鳥やその他の動物が描かれたそれらの絵には、非常に大きな歴史的価値があります。121枚に流刑囚のトーマス・ウォトリング（1762-1814）のサインがあり、残りの絵は、ジョージ・レイパーと、この「ポート・ジャクソンの画家」の作品です。

キャプテン・クックの
レゾリューション号

　歴史上初めての、南極圏のペンギンの絵。伝説的なレゾリューション号の航海の際に、18歳の画家ゲオルク・フォースターが描いたキングペンギン（*Aptenodytes patagonicus*）の水彩画です。フォースターは博物学者の父親とともに乗船し、父の助手を務めるかたわら、船が南太平洋の未知の海域を往く中で遭遇した植物や動物すべての記録を取る作業を担当していました。彼が描いた植物や動物の多くはそれまで知られていない種でした。そのため彼の絵は自然史博物館で最もよく研究されたコレクションのひとつであり、科学者にも芸術家にも文化史研究者にとってもはかり知れない価値を持っています。クック船長の3回の大航海のうち2回目にあたるこの時の航海は、なんの海図もなしに行われ、いくら報酬が莫大だとはいってもつねに危険と隣り合わせでした。フォースターは海中を南極目指して泳ぐキングペンギンを見たことはありましたが、サウスジョージア島では不意打ちで壮大な景色を目にすることになります。あまりにも多数のペンギンがいたため、雪原が黒い絨毯に見えたのです。クックは胸の高まりを覚えましたが、南極大陸を発見できるかどうかに確信が持てず（どれほど南極の近くまで来ているかに気付かず）、そこから帰途につきました。

フロリダカナダヅル

　この魅力的な絵の中の鳥は、偉大なアメリカの博物学者ウィリアム・バートラムによって1774年に描かれ、そして食べられてしまいました。バートラムは初めてこの鳥を公式に記録した人物ですが、持ち帰るべき全身標本がなかったので、この絵と説明文で代用しました。フロリダカナダヅル（*Grus canadensis pratensis*）というこの大きなツルはカナダヅルの1亜種で、体長が1メートル以上あり、翼開長はそれよりもっと長い、立派な鳥です。絵は、バートラムがフロリダの原野を含むアメリカ南部の未開拓地を旅して回った4年の間に描かれました。フロリダカナダヅルは、バートラムの『ノースおよびサウスカロライナ、ジョージア、イーストおよびウェストフロリダの旅』で何度か取り上げられています。彼はこの本で、自分が旅した地域の植物相と動物相やネイティブ・アメリカンたちの生活様式を美しく詩的な文体で叙述しました。彼が旅をしている間、人里離れた川の土手ぞいや草原での野宿生活のなかで、絵のモデルを務めた多くの動物が長い一日の終わりには夕食のおかずになったとしても驚くにはあたりません。この絵の場合、「威厳のある鳥」を捕まえたバートラムは、どのように「その鳥を夕食のために解体して絶品のスープを作ったか」を綴っています。

ウィリアム・バートラムのハエトリグサ

　絵の左下隅、キバナハスの下、オオアオサギのそばに見えるのは、史上初めて絵に描かれたハエトリグサ（*Dionaea muscipula*）です。この絵は、アメリカ生まれの博物学者としては最も早くから活躍したひとりであるウィリアム・バートラム（1739-1823）の作品です。バートラムはハエトリグサを奇想天外でかつ美しいと考え、昆虫を捉えて食べる習慣にからめて「好色な植物」と評しました。彼の植物好きは、フィラデルフィアにあった父親の植物園で育まれました。彼は子供の時から父の植物収集旅行に何度も同行し、後年には4年にわたってカロライナ、ジョージア、フロリダを旅して植物や動物の採集と描画にいそしみました。

フェルディナント・バウアーのヨウジウオ

　自然史博物館が所蔵するフェルディナント・バウアー（1760－1826）の美しい絵のうちの1枚。バウアーは歴史上最高の自然史画家のひとりで、その作品のたぐいまれな美しさは、細部まで見逃さない驚異的な注意力だけでなく、強迫観念に近いほどの色彩へのこだわりによるものです。彼は動物や植物が死ぬとすぐに色褪せしはじめることに気付き、標本の真の色を再現するためならどんな苦労もものともしませんでした。彼は急いで絵を描いたり色を記憶して後から思い出そうとしたりするのではなく、各色に4桁の数字を割り振り、標本の死後できる限り早くからさまざまな符号によって几帳面に記録を取りました。そして、時間のある時にスケッチを作品に仕上げるにあたり、符号の示す色を塗っていったのです。その結果、彼の絵は動物が生きていた時そのままの鮮やかで生気あふれる描写になりました。驚くべきことに、フェルディナントの兄の

フランツ（右ページ）も世界的な自然史画家です。しかし、フランツが40年間イングランドに住みついて植物画を描いたのに対し、フェルディナントは旅をして回りました。とりわけ重要な旅として、1801年にインヴェスティゲーター号という船に乗ってオーストラリアへ行ったことが挙げられます。この時彼は博物学者のロバート・ブラウン（後に自然史博物館の植物園長となる人物）とともにオーストラリアの海岸線を調査しました。幸か不幸か、船は修理に次ぐ修理が必要で航海は遅れに遅れ、彼らは3年もオーストラリアにとどまることになります。十分な時間を与えられた彼らは何千種もの植物と動物を収集し、バウアーはオーストラリアの野生生物をスケッチしてすばらしい記録を作り上げました。上の図版は、ヨウジウオの1種ウィーディ・シードラゴン（*Phyllopteryx taeniolatus*）の水彩画です。

フランツ・バウアーのラン

　オフリス・アピフェラ（*Ophrys apifera*）という優美なランのこの絵は、1800年頃、英国のキュー王立植物園に雇われた最初の植物画家によって描かれました。その名はフランツ・バウアー。植物を顕微鏡で観察してから紙の上に拡大画像として描く技術に長けていた彼は、史上屈指の精密な水彩植物画を生み出しました。科学者たちにとって彼の絵は貴重な贈り物であり、おかげで彼らは自ら顕微鏡を何時間ものぞき込むことなしに植物の微細な部分を目で見て研究することができたのです。

　バウアーはオーストリアのフェルズベルク〔現・チェコのヴァルティツェ〕で生まれ、リヒテンシュタイン公の宮廷画家だった父から画才を受け継ぎました。彼はロンドン南西部のキューにある世界的に有名な植物園で40年を過ごし、莫大な数の絵を黙々と描き続けました。描きたいものにはこと欠きませんでした。キューの植物園には、世界各地を航海した船がイングランドに戻るたびに、毎日のように多彩な植物が届けられたからです。世界中からやってきた種子がキューで育てられ、そこにはそれらの成長の過程をどんな細部も見逃さずに記録するバウアーの姿がありました。前ページのフェルディナント・バウアーは彼の弟です。

ヴィクトリア朝の晩餐会メニュー

この豪勢なメニュー（右）は、ヴィクトリア朝の美食追求の証拠としてではなく、晩餐会が開かれた理由——世界初の恐竜展開催の記念——によって貴重な資料となっています。1853年のおおみそか、科学者のリチャード・オーウェンはロンドン南東の水晶宮公園で3体の恐竜——ヒラエオサウルス、イグアノドン、メガロサウルス——の実物大模型をおひろめしました。このイベントへの招待状（左）はヴィクトリア朝社会の最上流層の人々に送られました。客たちは完成前のイグアノドンの模型の中にすわり、模型を祝すだけではなく、オーウェンによるこの新しい古代爬虫類グループの発見を祝して乾杯しました。実際にそのグループを発見し特定したのはオーウェンの終生のライバルだったギデオン・マンテルで、オーウェンは単にそれを「恐竜類」と名付けることで栄光を横取りしただけだ——ということをあえて口にする者はほとんどいませんでした。オーウェンが本領を発揮したのは、化石化した骨からその生物の大きさを推測し、解剖学の専門知識を生かしてどんな姿をしていたかを考察し、恐竜を復元する作業においてでした。恐竜たちの模型を作ったのは、彫刻家のベンジャミン・ウォーターハウス・ホーキンズです。彼は世界初の先史時代公園のために、他の古代爬虫類や古代哺乳類の模型も制作しました。そばには古代植物が置かれて、場面を——3億5000万年にわたるブリテン島の進化の風景を——より本物らしく見せました。恐竜展の会場は、ヴィクトリア女王とアルバート公を含む何千何万という人々でにぎわいました。

最初の地質図

一国全体の地質を記した初めての地図。1815年にウィリアム・スミスによって作成されたものです。イングランドとウェールズの岩を種類別に色分けしてあらわしており、これが世界各地の地質調査の基本となりました。スミスが地質学にほれこんだのは、生まれ故郷のオックスフォードシャーでの化石収集がきっかけでした。勉強好きで観察力に優れた彼は18歳で測量士として働きはじめ、水や石炭や鉱物資源の探査、土地の排水、水路の建設などにたずさわりました。仕事柄、国中を回った彼は、調査したどの場所でも岩の層が同じ順序で重なっていることに気付きます。そのうえ、違う場所でも同じ地層から同じ化石が出てくるので、地層の年齢を知るために利用できます。彼は10年以上を費やしてより多くの証拠を探し、資金を集めて、ついに自作の地図を出版しました。それが、美しく手彩色された、2メートル四方に近い大きさのこの地質図です。しかし、当時の学界はなかなかスミスの業績を認めませんでした。おそらく、彼の生まれ育ちが貧しく、学歴も職業の格も低かったせいでしょう。けれども、今では彼は「地質学の父」として高く評価されています。

A
DELINEATION
OF THE
STRATA
OF
ENGLAND AND WALES,
WITH PART OF
SCOTLAND:
EXHIBITING
THE COLLIERIES AND MINES
THE MARSHES AND FEN LANDS ORIGINALLY OVERFLOWED BY THE SEA,
AND THE
VARIETIES OF SOIL
ACCORDING TO THE VARIATIONS IN THE SUBSTRATA,
ILLUSTRATED by the MOST DESCRIPTIVE NAMES
BY W. SMITH

THE GERMAN OCEAN

THE IRISH SEA

ST GEORGE'S CHANNEL

CAERNARVON BAY

CARDIGAN BAY

BRISTOL CHANNEL

THE ENGLISH CHANNEL

EXPLANATION

EPIMACHUS ELLIOTI, *Ward*.

J. Gould & W. Hart del. et lith.

Walter, Imp.

グールドの『ニューギニア鳥類図譜』

　この色鮮やかな絵は、19世紀屈指の鳥類画家ジョン・グールドの『ニューギニア鳥類図譜』の初版の1ページです。グールドは多作な画家で、大ブリテン島、オーストラリア、ヨーロッパ、アジアの多数の鳥を収めた数十巻からなる図譜をはじめ、膨大な数の作品を生み出しました。自然史博物館には各巻の初版が所蔵されています。

　グールドは画家だっただけでなく、優れた鳥類学者でもありました。たとえば彼は、ダーウィンがガラパゴス島から持ち帰り、間違った命名をしていた複数の鳥について、正しい同定を行っています。たぐいまれな画才と鳥類への深い造詣を兼ね備えた彼の絵はあまりにも驚異的な正確さで描かれているので、時には本物の標本と同じように参照されています。一部の絵に至っては、模式標本（その生物種の最も典型的なものとして選ばれ、同じ種の他の個体との比較対照に使われる標本）として使われているほどです。けれども、このすばらしい本はグールドがひとりで作ったのではありません。彼が描いた鳥の絵はリトグラフ用の石版に転写され、それが印刷されます。次に彼は何人もの彩色者を雇い（ちなみに最も有名な彩色者は彼の妻）、版画を見事な水彩画に仕上げたのです。金箔を貼った上に色を塗り、一部にアラビアゴムを加えることで、鳥の羽根の玉虫色の輝きを出すことも可能でした。左ページの絵はオナガカマハシフウチョウとオナガフウチョウの交雑種とされています。

Drawn from Nature by J.J Audubon. F.R.S. P.L.S.

Louisiana Heron. ARDEA LUDOVICIANA: Wils Male adult.

PLATE CCXVII

Engraved, Printed, & Coloured, by R. Havell. 1834.

オーデュボンの『アメリカの鳥』

　鳥類に対する人々の見方を変えた1冊の本があるとすれば、それは1827年から1838年にかけて刊行されたジョン・ジェームズ・オーデュボンの『アメリカの鳥』を措いて他にないでしょう。長辺が1メートル、435枚の絵の中に1065種の鳥の実物大水彩画を満載したこの本は、史上最も本物の鳥に近い鳥類画のひとつとされています。当時の他の博物学者が鳥の剥製や動物園で飼育されている個体をもとに絵を描いたのとは違い、オーデュボンは絵を描くために野生環境へ踏み込みました。小さな鳴き鳥から飛翔するワシタカ類までの鳥類を実物大の自然なポーズで描いたのも、彼が最初でした。殺したばかりの鳥にポーズをつけて針金で固定することで、彼はその鳥がまるで生きているように描くことを可能にしたのです。ここで紹介するのはサンショクシギ（*Egretta tricolor*、旧名 *Ardea ludoviciana*）の絵です。

　オーデュボンは1785年にサン・ドマング〔現在のハイチ〕に生まれ、フランスで育ちましたが、正規の教育はほとんど受けていません。早くから鳥類を観察して絵を描くことに情熱をそそぎ、35歳の時に、アメリカにいるすべての種の鳥の絵を描こうと思い立ちます。それから20年の間、山の上から谷の底まで、カナダからメキシコ湾まで、可能なかぎりありとあらゆる生息地を探索して回りながら、この壮大な本のための絵を描き資料を集めたのです。

　オーデュボンがなぜアメリカで印刷・出版元を見つけられなかったのかは不明ですが、彼がイギリスに作品を持ち込むと、熱狂的に迎え入れられました。19世紀初めの屈指の石版彫師ロバート・ハヴェル・ジュニアがオーデュボンの水彩画に基づいて435枚の手彩色版画を制作しました。科学的な正確さとロマンチックなまでの美しさを備えた『アメリカの鳥』は、たちまちアメリカ文化の象徴のひとつという地位を獲得しました。完本は現在世界に119部存在するとされ、そのうちの1部が2000年にオークションに出品された時には880万2500ドル（約9億3700万円）という破格の値が付きました。〔2010年には初版が732万1250ポンド（約9億5000万円）で競り落とされ、競売における書物の落札価格の記録を更新しています。〕

52.

177. Full grown Larva of Cymothoë Theobene. Bred from Ovum laid by wild ♀. — Victoria (Cameroons) West Africa. May 21: 1926. —

177ᵃ. Pupa of Cymothoë Theobene. Bred from Ovum laid by wild ♀. Victoria (Cameroons) West Africa. May 25: 1926. —

178. Larva of Mylothris Hilara, on a leaf of Loranthus, sp: Bred from Ovum laid by wild ♀. Buea. (Cameroons) West Africa. June 12: 1926. —

178ᵃ. Pupa of Mylothris Hilara. Bred from ovum laid by wild ♀. Buea (Cameroons) West Africa. June 20: 1926. —

179. Full grown Larva of Mylothris Chloris, on Loranthus, sp: Bred from ovum laid by captive ♀. Buea (Cameroons) West Africa. June 25: 1926. —

179ᵃ. Pupa of Mylothris Chloris Bred from Ovum laid by captive ♀. Buea (Cameroons) West Africa. — June 23: 1926. —

180. Larva of Mylothris Spica, on a bit of leaf of Loranthus, sp: Bred from ovum laid by wild ♀. Buea (Cameroons) West Africa. June 30: 1926. —

180ᵃ. Pupa of Mylothris Spica. Bred from ovum laid by wild ♀. Buea (Cameroons) West Africa. July 4: 1926. —

181. Young Larva of Papilio Cypraeofila, on a bit of leaf of Piper Umbellata. Bred from ovum laid by wild ♀. — Ekona (Cameroons.) West Africa. — July 8: 1926. —

マーガレット・ファウンテーンのノート

　手作りのカバーがかけられた個人用のノート４冊には、1862年に英国ノーフォークで生まれた果敢な女性、マーガレット・ファウンテーンの自然探索の記録が記されています。彼女は、チョウを追って単身で世界中を回るという、ヴィクトリア朝の女性のほとんどが夢想だにしないような人生を送りました。どのペ　ジも繊細で精密な水彩画と詳細に描写されたメモでうまっており、あつかわれている地域は、ヨーロッパ各地とアフリカ各地、インドから西インド諸島まで、中国からスリランカまでを含んでいます。彼女は50年間ほとんど絶え間なしに旅をしました。うち27年間はシリアで出会ったハリル・ネイミーという男性が彼女と行動をともにしましたが、最終的に彼女は彼を失って悲嘆に暮れることになります。マーガレット・ファウンテーンはヴィクトリア朝社会の慣習に楯突き、自由な人生を選んだ女性でした。その反乱は無駄ではなく、晩年の彼女は自然史博物館と密接な関係を持つ鱗翅類研究家として尊敬される存在になっていました。このノートは、彼女が知人である博物館の昆虫学部門の管理者に贈ったものだろうと考えられています。彼女はチョウの美しい成虫を多数集めましたが、幼虫や蛹から育てることもしていました。

　ファウンテーンはあっぱれなまでにロマンチストで、それは終生変わりませんでした。1940年に没する際、彼女は「100年間開けないこと」という厳命を付して、鍵をかけた鉄の箱をノーフォーク州のノリッジ城博物館に寄贈しました。箱の中には彼女のチョウのコレクション多数と、写真と、12冊の日誌が入っていました。

エドワード・リアのインコ

　味わいあふれるこの魅力的な絵は、エドワード・リア（1812-1888）の『インコ科図譜』初版の1葉です。この本は1832年、つまりリアが弱冠19歳の時に出版されました。インコの色と形だけでなくそれ以上のものをとらえたいと願ったリアは、ロンドン動物園に何週間もかよってじっとインコたちを見続けました。彼はインコの動き方やそれぞれに異なる性格を観察し、次にその鳥たちのエネルギーを絵画へと昇華させました。そのため、このルリコンゴウインコの絵からもわかるように、出来上がった作品は一枚一枚が色彩と動きの饗宴になっており、その点でリアのストーリーテラーとしての生き生きした想像力の影響も大きいことがはっきりわかります。

　てんかんの持病があり健康がすぐれなかったにもかかわらず、リアは10代から20代にかけて怒涛のように絵を描き続けました。もっとも、彼の名はむしろ『ナンセンスの絵本』のようなリメリック〔滑稽五行詩〕や『フクロウと猫』のような子供向けの詩と物語の方でよく知られています。彼は史上最高の鳥類画家のひとりジェームズ・オーデュボンに比肩する存在として広く認められ、ヴィクトリア女王に絵の手ほどきをしたほどでした。

MACROCERCUS ARARAUNA.

Blue & Yellow Maccaw.

ヘンリー・ベイツの日誌

　博物学者ヘンリー・ベイツ（1825－1892）の野外調査日誌には、その学術的内容を超えた並はずれた価値があります。そこには、ヴィクトリア朝の科学者たちが自然界の謎を解明しようと全身全霊を注ぎ、現代では考えられないほどの苦難に直面しながら立ち向かったことがあらわれています。ベイツは、チャールズ・ダーウィンとアルフレッド・ラッセル・ウォレスに次ぐ高い名声を得たヴィクトリア朝の博物学者であり、彼の日誌は1933年に自然史博物館が購入した2点のうちのひとつです。走り書きの記述はところどころ判読不能で、文字からだけではベイツの考えをたどることは難しいのですが、この日誌は彼の取り組みの姿勢と情熱があらわれているゆえに貴重であり、あつかう者に畏怖を抱かせます。日誌はベイツがアマゾンで過ごした5年間に書かれ、彼が目にしたチョウに関する注釈と、繊細で美しい水彩画に満ちています。むせかえるような熱暑の中、人里から隔絶したハエだらけの地で、現代のようなサバイバルキットもなしに調査に打ち込むことがどんなものかを考えれば、想像を超えた献身的情熱と言うほかありません。そんな環境にもかかわらず、彼は何時間もかけ

てこの実物
大の水彩画を描いたり、新奇
な種をなんとしても理解しようとその構造や多様
性や生態に関する注釈を書き連ねたりしました。1863年
に出版されてベストセラーになったベイツの『アマゾン河
の博物学者』は、この日誌を土台にして書かれた本です。

ダーウィンの『種の起源』

　右ページの図版は、チャールズ・ダーウィンが1859年の著書『種の起源』のために書いた自筆原稿で、自然史博物館が所蔵する5枚のうちの1枚です。これは本能をあつかった章のもので、史上最も大きな影響を与えた書物の遺産であり、線で消した部分や注記は偉大な精神の記録です。ダーウィンは『種の起源』で、自然選択を通じた進化という理論を発表しました。彼は、すべての生物に共通の祖先があったが、歳月が流れる間に生命体が変化し、それぞれの環境に最も適したものがより生き延びやすかった、として自然界の多様性を説明しようとしました。彼がこのアイディアを練り上げて出版するまでには20年の歳月が必要

でした。最初に出版された時のタイトルは『自然選択の方途による、すなわち生存競争において有利なレースの存続することによる、種の起源』でしたが、1872年の第6版から『種の起源』に改められました。それまで広く信じられていた「神が万物を創造し、今もコントロールしている」という考えに真っ向から対立する内容だったにもかかわらず、この本はたちまちベストセラーになりました。種形成の樹状図を折り込みページにした日本語版の初版（このページ上）は、1914年にポケットサイズで出版されたもの〔アナキストとして知られる大杉栄が翻訳した新潮文庫版〕です。

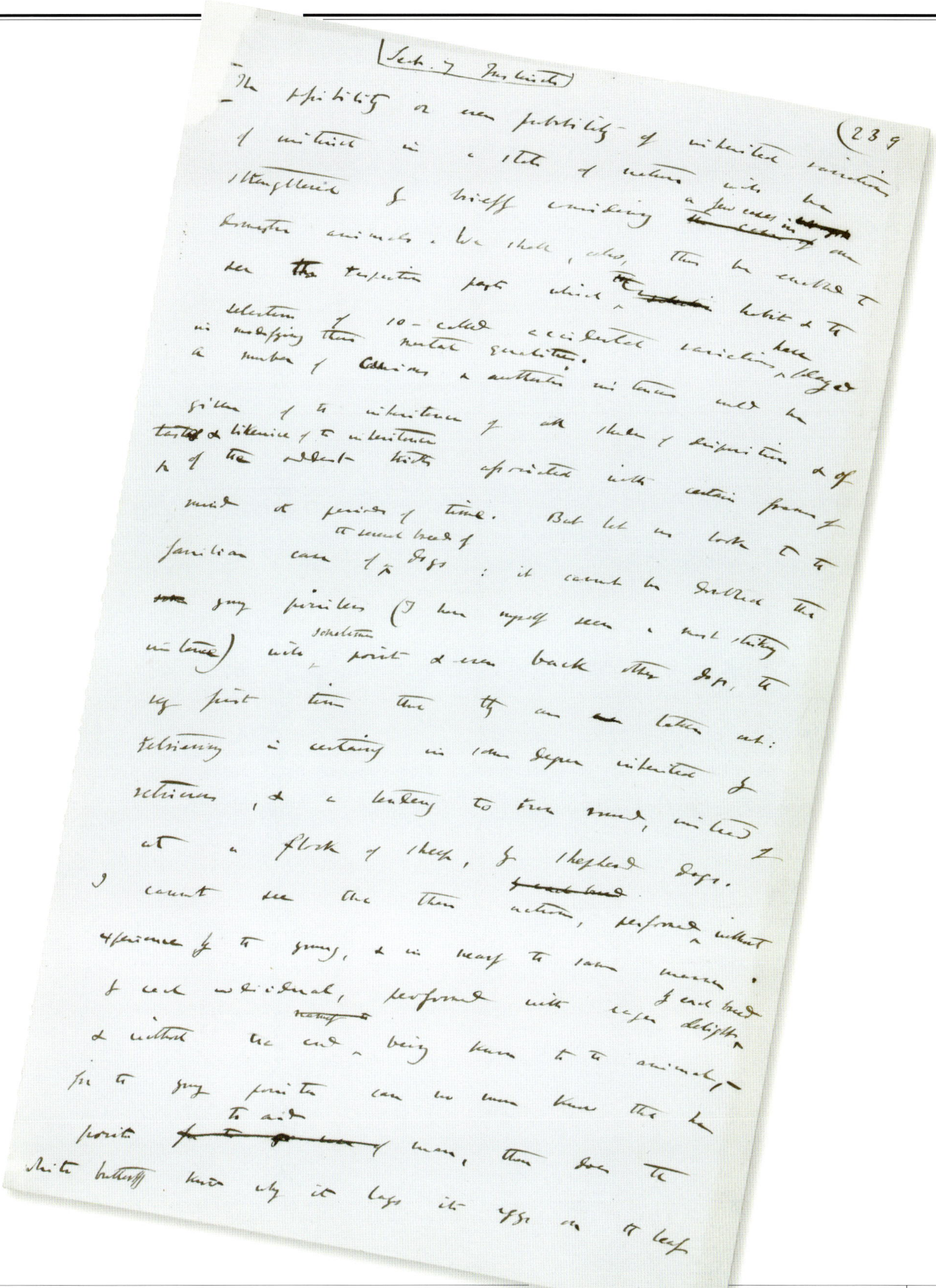
[Sect. 7 Instincts]

The possibility or even probability of inherited variation (239)
of instinct in a state of nature will be
strengthened by briefly considering a few cases in of our
domestic animals. We shall, also, thus be enabled to
see the respective parts which habit & the
selection of so-called accidental variations have played
in modifying their mental qualities.
A number of curious & authentic instances could be
given of the inheritance of all shades of disposition & of
tastes & likewise of the inheritance
of the oddest tricks associated with certain frames of
mind or periods of time. But let us look to the
familiar case of the several breeds of dogs: it cannot be doubted that
young pointers (I have myself seen a most striking
instance) will sometimes point & even back other dogs, the
very first time that they are taken out:
retrieving is certainly in some degree inherited by
retrievers, & a tendency to run round, instead of
at a flock of sheep, by shepherd dogs.
I cannot see that these actions, performed without
experience by the young, & in nearly the same manner
by each individual, performed with eager delight by each breed
& without the end being known to the animal,—
for the young pointer can no more know that he
points to aid of man, than does the
white butterfly know why it lays its eggs on the leaf

152/ ½ nat. size

Asterophysus batrachus. Kner.

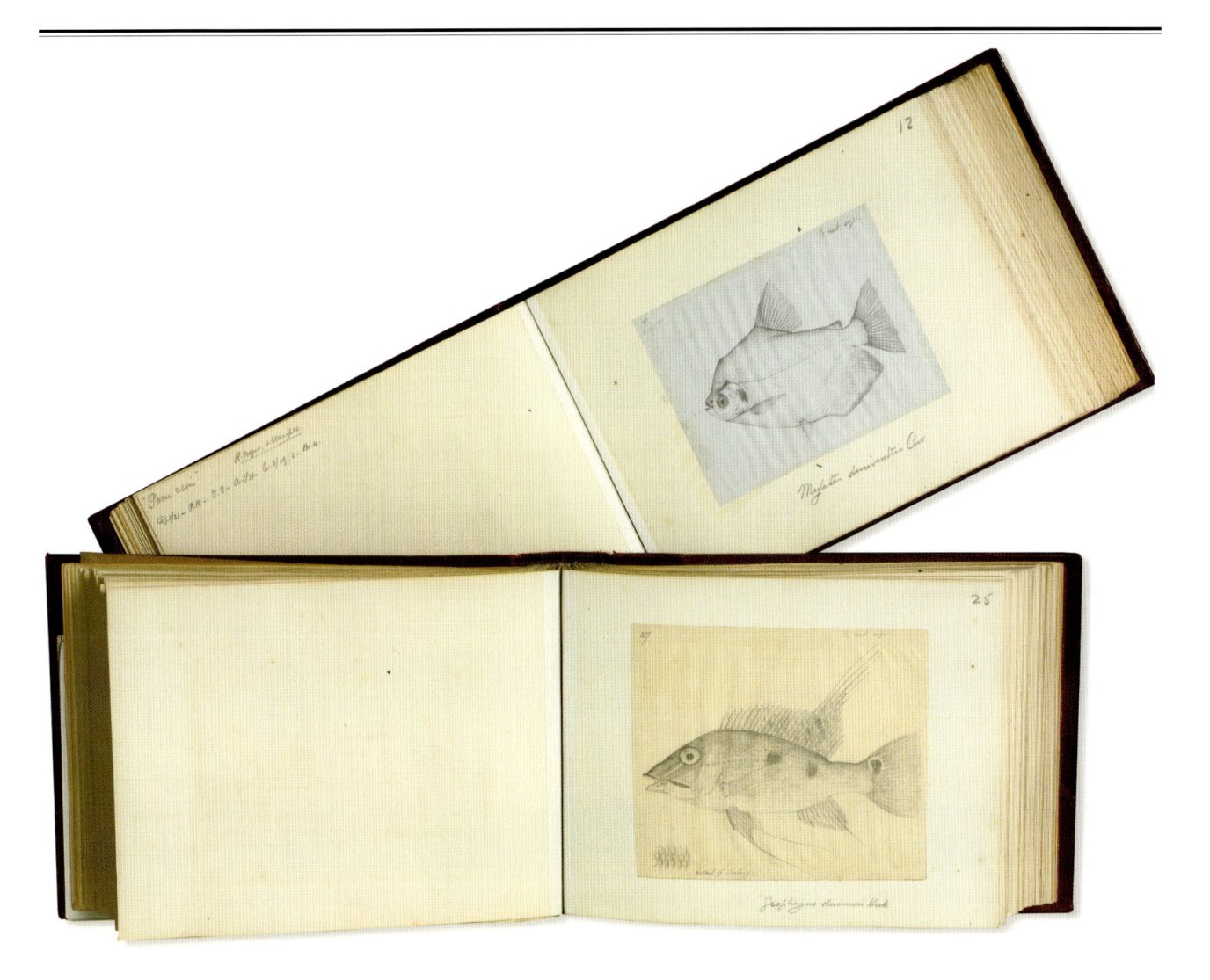

難破船から救い出された絵

　火災を起こした船から大急ぎで逃げ出す際、博物学者のアルフレッド・ラッセル・ウォレスにはノートとこのスケッチの入ったブリキの箱を持ち出す時間しかありませんでした。彼が南米ブラジルのネグロ川で4年をかけて集めたコレクションのうち、手元に残ったのはこれだけだったのです。彼が帰国のために乗ったヘレン号は炎に包まれ、ウォレスは数百点の植物、昆虫、鳥の標本、多数のノート、オウムやサルを含む生きた生物が船とともに沈むのを救命ボートから眺めたのでした。ウォレス青年は自然界の不思議を解き明かしたいと望み、1848年にイングランドを発ってブラジルのアマゾンにおもむきました。それから4年以上、集めた標本を売って費用をかせぎながら、彼は一日も無駄にせずに勤勉に調査を行いました。明け方から2時間は鳥を探し、午前の中頃から午後の中頃までは昆虫を採集し、4時になったら夕食のために作業を終え、食後の夕刻からはノートを書いたり標本を作製したりしました。彼がアマゾンでの体験を綴って出版したのは1889年です。しかしその頃には彼はすでに、マレー諸島でも長年調査を行った博物学者として名を成していました〔128ページ参照〕。彼が自然選択についての自説を発展させたのはマレー諸島滞在中で、その時の彼は、本国イギリスでダーウィンがまったく同じ発想を深化させていることを知りませんでした。

南極のスコット大佐

　英海軍のロバート・スコット大佐の妻キャスリンが自然史博物館にあててこの手紙を書いたのは1913年、探検家だった夫が南極点探検からの生還に失敗した後のことです。彼女は、夫のチームが収集した標本を引き取り、スコットの遺産として適切に管理してくれる場所を探していました。スコットは寒く荒涼とした南極大陸に２度探検隊をひきいて遠征し、発見したことをノートや絵や写真の形で記録し、岩石、魚の化石、植物、アザラシの頭蓋骨や鳥の仮剥製やウミグモなどの動物標本を研究用に収集しました。ディスカヴァリー号の遠征（1901−1904）は大成功でした。しかしテラ・ノヴァ号での第２回遠征（1910−1912）は悲劇に見舞われました。南極点到達レースでノルウェー隊に先を越され、ベースキャンプに戻る途中にスコットと４人の仲間は寒さと飢えのため死亡したのです。キャスリンは悲しみの中、すでに自然史博物館に所蔵されていた第１回遠征の標本と、テラ・ノヴァ号が持ち帰った標本とを一緒にしてもらうため、次のように書いて働きかけました。「探検隊長も学術研究スタッフの長も世を去りました。夫が切に望んでいたのは、“スコット大佐の前回の探検”が地質学と生物学のすばらしい成果をもたらした際と同様の処遇をしていただくことでした」。そうして標本は自然史博物館に収められ、この手紙は博物館のアーカイブに保管されています。

マーク・ラッセル

　現代の昆虫学者で画家のマーク・ラッセルによる超写実的なゾウムシの絵は、小さな昆虫の体の毛や微小な穴のひとつひとつが描き込まれたすばらしい芸術作品であるだけでなく、自然史博物館のコレクションに加わった最も新しい作品のひとつでもあります。2000年に購入したこの絵は、自然史博物館が現代美術の最先端の作品を集めるという取り組みの先鞭を切りました。コレクションというものは将来の世代に伝えるための総合的な記録である以上、われわれは過去の至宝だけでなく未来への至宝も集めなければなりません。ラッセルのような現代の才能はその好例なのです。ラッセルは1971年から1975年まで自然史博物館の昆虫学部門で働き、膨大な甲虫コレクションの管理にたずさわりました。その後彼はもっとエキゾチックな世界へはばたき、ヨーロッパ、南米、アフリカの幅広い地域を旅して回り、その途上で創作のインスピレーションの源となるゾウムシを多数採集しました。この絵のバリス・クプリロストリス（*Baris cuprirostris*）というゾウムシは、顕微鏡を使って細部のすみずみまで拡大して正確に観察しつつ描かれ、鮮やかな色を出せるアクリル絵具で彩色されています。

Botany

バンクシア・セラタ

　バンクシア・セラタ（*Banksia serrata*）というこの植物の名は、18世紀の偉大な博物学者サー・ジョゼフ・バンクスに由来します。バンクスは、エンデヴァー号の航海（1768−1771）〔27ページ参照〕に参加した際にこの植物が原産地のオーストラリアで自生している姿をその目で見た、最初のヨーロッパ人です。彼はこの植物や近縁の他の新種の標本をイングランドへ持ち帰り、そこから彼にちなんでバンクシア属（*Banksia*）という新しい属名が付けられました。バンクシアの絵（右ページ）は、シドニー・パーキンソンが描いた絵に基づいて作成されています。パーキンソンはエンデヴァー号に乗船していた若く才能ある画家で、航海の成果である18巻の植物画の完成に大きな寄与をしました〔27ページ参照〕。バンクスは新たに発見された大陸（オーストラリア）で約3000種もの植物を採集しましたが、うちおよそ900種はそれまで科学界に知られていないものでした。

　バンクスの名は、植物学に残した大きな遺産によって最もよく知られていると言っていいでしょう。彼は数多くの探検航海を支援し、若い博物学者や画家たちに航海での発見を記録する機会を与えました。また、キュー王立植物園で国王ジョージ3世の顧問を務めたバンクスは、無数の植物をイギリスに持ち込み、それらの持つ経済的価値に関心を抱いて研究しました。たとえば、英本国へ紅茶（茶葉）を出荷するために最適な栽培地がアッサムであることを特定したのは、他ならぬバンクスです。

セイタカダイオウ

セイタカダイオウ（*Rheum nobile*）は、花を包んで塔のように高さ２メートルまで伸びる植物ですが、実物を目にしないかぎりなかなか信じにくい存在です。セイタカダイオウはアフガニスタン東北部からパキスタンとインドの北部を経てネパール、ブータン、チベットに至るヒマラヤの標高約4000メートルの地に生育しています。右ページの標本は、フランク・ラドロウ、ジョージ・シェリフ、N・M・エリオットが採集したものです。ラドロウは有名な植物収集家・博物学者で、ヒマラヤと極東を旅して何年もの歳月を過ごしました。彼がチベットで1947年に撮影した写真は、愛犬ジョーカーとの比較でセイタカダイオウの大きさがよくわかります。セイタカダイオウの根は男性の腕ほどの太さになると言われますが、この植物の魅力は不思議な外見だけではありません。地元の人々は爽快な酸味のあるスナックとして茎を食用にしています。

セイタカダイオウの生育地は非常に寒冷で、周囲に生える他の植物はほとんどが地を這うように育つ低木です。そんな環境で生きのびるために、セイタカダイオウは自前の暖房システムを備えています。“塔”の外側を包む半透明の苞葉（ほうよう）が可視光線を通し、熱を中に閉じ込めて、温室のような効果を生み出すのです。

絶滅からの救出

メリッシア・ベゴニフォリア（*Mellissia begoniifolia*）は、奇跡の救出物語の主人公です。大西洋に浮かぶ小さな孤島、セントヘレナ島の固有種で、タバコとセイヨウスグリと、ひどい場合は汗をかいた足の裏のようなにおいがする植物です。発見されたのは1813年ですが、19世紀末には、島に持ち込まれたヤギによる食害、森林伐採、土壌浸食によって絶滅したと信じられていました。ところが1998年に、散歩中のある島民がこの植物を７株発見したのです。６株は枯れていましたが、残る１株はひどく虫にたかられていたものの花を咲かせて種子ができていました。その後、他にも株が見つかり、種子の発芽も成功し、メリッシアは絶滅の縁から救い出されたのでした。とはいっても、セントヘレナで消滅の危機にあることには変わりはありません。

FLORA OF Kongbo SE Tibet No. 14100

Loc. Penam chu Near Te (Pasum Lake) Alt. 15000 Date 9.7.47

Lat. Long.

Flowers Pale green

Midst boulders

Rheum nobile Hk.f. et Th. Coll. Ludlow & Sherriff.
& H.H.Elliot

メキシコから来た奇妙な植物

　地球上のほぼすべての花はまん中に雌性の部分（めしべ）があってその外側を雄性の部分（おしべ）が囲んでいますが、ラカンドニア・スキスマティカ（*Lacandonia schismatica*）だけは唯一その逆で、中央におしべ、そのまわりにめしべがあります。1985年に発見された時、あまりに常識はずれなことから、研究者たちはこの植物のために全く新しい科を作るべきだと考えました。しかしその後のDNA解析により、既存の菌従属栄養植物 —— 他の植物の腐ったものを分解する菌から栄養分を得て生育する植物 —— のひとつであるホンゴウソウ科に属することが判明しました。ラカンドニアは小さくて目立たない植物で、メキシコ南東部のラカンドン雨林にのみ生育します。細いひものような茎を10センチほど伸ばし、密林の地表の湿った腐葉層の下から立ち上がります。茎の先端にはヒナギクのおよそ100分の1のサイズの小さな花が1個かそれ以上つき、花の中心にあるおしべ（黄色）のまわりを小さな子房の集まり（オレンジ色）が囲んでいます。ラカンドニアは、中米のあらゆる維管束植物（い かんそく）を記録することを目指して大英自然史博物館、メキシコ国立自治大学、ミズーリ植物園が共同で行った「中米の植物相」プロジェクトの調

査の過程で発見されました。ラカンドニアの
ように新たに採集された植物は、自然史博物
館に送られてコレクションに加えられていま
す。調査の成果である『中米の植物相（*Flora
Mesoamericana*）』の第1巻は1995年に出版
されました。

クリフォードの植物乾燥標本

　このページのカエンキセワタ（*Leonotis leonurus*）と右ページのルコウソウ（*Ipomoea quamoclit*）はどちらも初期の乾燥標本コレクションに含まれています。標本は1730年代にオランダの裕福な商人ジョージ・クリフォード３世が作製し、スウェーデンの若き植物学者カール・フォン・リンネ（1707－1778）── 後に植物学の父と謳われる人物── が研究したことで知られます。3491枚のシートからは、クリフォードが広大な庭園でバナナやサボテンといった多様な植物を栽培していたことがわかります。彼はかつてアジアや南北アメリカ大陸やヨーロッパを旅した時に集めた種子や、ヨーロッパの他の植物園から分けてもらった種子をまいて、植物を育てました。ていねいに押し花にされた植物は華麗な壺から生えているかのように配置され、美しい装飾のある標本ラベルに名前が記入されました。植物名には属名とラテン語による短い説明が付けられていて、リンネの豪華本『クリフォード邸植物』のリストに記載されています。リンネは15年後に出版した画期的な書物『植物の種』でもこれらを取り上げています。現在も使われている植物の学名の二名法、すなわち属名の後に固有の種小名を組み合わせる命名法が初めて導入されたのが、『植物の種』でした。

Wrangelia multifida   Griffithsia secundiflora   Laminaria Phyllitis

Bonnemaisonia asparagoides   Ulva latissima   Delesseria sanguinea

Iridaea edulis   Griffithsea setacea   Enteromorpha

Polysiphonia purpurascens   Chondrus crispus   Rhodomenia laciniata

海藻の押し葉の冊子

　この海藻の"押し葉"は、ジャージー島に住む女性たちが1850年代から60年代にかけて手作りした、浜辺のしゃれた土産物です。写真の海藻はラ・シェールという場所で採集されたものだと標本ラベルに記されています。どれもポストカードサイズの紙に海藻の繊細な枝分かれを丹念に広げて平らにして貼り、それらを折ってまとめて、小さな冊子に仕立ててあります。特に目を引くのは形のバリエーション、質感の幅広さ、赤や茶色や緑といった色の多様さです。小冊子には海藻の名前が記されているものも、いないものもあります。おそらく、土産物として販売するために作られたのでしょう。ほとんどの冊子に同じ詩の1節が引用されていることから、どうやら同じひとつのグループの女性たちが作っていたようです。写真の冊子の詩は、次のようなものです。

　　ぬしはわれらを集めて見ほれ、
　　　われらは余暇を楽しむなり
　　　さればわれらを海藻と呼ぶなかれ
　　　われらは海原の 雅 なる花なれば

　自然史博物館はこの小冊子を6冊ほど所蔵しています。寄贈されたものもあれば、買い求めたものもあります。どの海藻押し葉も、「波に打ち寄せられて浜辺に山のように積もったゴミ」という世間一般の海藻のイメージとはかけ離れた美しさです。

ジャイアントセコイア

　直径 5 メートル近いこの巨大な木の輪切りは、西暦 557 年に芽生えてから育ち続けたセコイアデンドロン（*Sequoiadendron giganteum*、アメリカでの呼び名はジャイアントセコイア）のものです。1300 年以上たった 1891 年に、ニューヨークのアメリカ自然史博物館の依頼で伐採されました。カリフォルニア州のキングズ・キャニオン国立公園内、現在「ビッグ・スタンプ〔大きな切り株〕の森」と呼ばれている場所で 90 メートルを超える高さにそびえていたこの木を切り倒す作業は、2 人がかりで 1 週間以上かかったといいます。大きな輪切りのひとつはニューヨークに、もうひとつは大英博物館に送られ、残りは細かく切られて柵の支柱材になりました。セコイアデンドロンはセコイアほど樹高は高くなりませんが、幹が非常に太くなるため、世界最大の生命体であることには違いありません。少なくとも 3000 年は生きるとされる長寿の秘密は、いくつもの要因が重なって生み出されています。カリフォルニア州のシエラネバダ山脈にのみ生育するセコイアデンドロンは湿潤な冬と乾燥した夏の環境の中で育ちます。夏の山火事で競争相手の植物が灰になる中、セコイアデンドロンは並はずれて分厚くて火に強い樹皮で木の内部を守り、生き延びます。山火事が消えると大量の種子が周囲にまき散らされ、火災でミネラルが豊富になった土壌に落ちて発芽します。また、この木には天然の木材防腐物質が含まれているので、非常に腐朽（ふきゅう）しにくいのも特徴です。

ボーフォート公爵夫人のアツバサクラソウとチューリップ

　美しい押し花が並ぶメアリー・サマセット（ボーフォート公爵夫人）の14冊の押し花標本帳は、ただの有閑貴族の手すさび以上の貴重な作品です。これは1700年代初めにイングランドで栽培されていた植物の実物の記録であり、公爵夫人（1630-1714）自身が育てて押し花にしたものです。彼女はブリストル近郊のバドミントンとロンドンのチェルシーにあった広大な庭園で、新世界やヨーロッパから取り寄せた多くの品種を含む何百種もの植物を育てていました。60種以上の新種をイングランドに紹介したことでも知られています。庭園で採取され押し花にされた花はひとつひとつが1枚の紙にはさまれ、それぞれに公爵夫人が植物名を記入しました。チューリップ（右ページ）の場合は、球根の値段も書き添えられています。植物が並んだページを次々にめくれば、当時の植物の流行の変遷を

垣間見ることができます。もとの色は保存の過程と歳月のうちに失われてしまいましたが、彼女のコレクションはそれらの植物が栽培されはじめた時期の得がたい記録です。公爵夫人のロンドンの邸宅はサー・ハンス・スローン〔23、66、69、152、166ページ参照〕邸の近くでした。スローンは彼女の庭園に感嘆し、その庭の数多くの植物は「私がかつて見たことのあるヨーロッパのどの庭園よりも見事

に咲きほこっていた。(…)公爵夫人は彼女が救護所と呼ぶ場所を持っており、病気の植物や元気のない植物をそこに移しては、適切な方法を用いて(…)それらをハンプトン・コート〔当時の王宮〕の植物よりも完璧な姿にするのだった」と記しています。1714年に公爵夫人が他界すると、写真の標本帳はスローンの手に渡り、やがて自然史博物館の所蔵品となりました。

仔ヒツジのなる植物

　生きた仔ヒツジがなる植物ほど不思議なものはないでしょう。「タタールの仔ヒツジ」〔別名バロメッツ〕と呼ばれた植物には果実として仔ヒツジが実ると考えられ、ワタ（木綿）がどうやってできるかの説明のひとつとしてまことしやかに語られていました。ヒツジはへその緒で植物とつながっていて、植物のまわりの草を食べ、周囲の草を食べつくすとヒツジも植物本体も死んでしまう、という話でした。

　この写真の標本は中国産で、珍品奇品を貪欲に集めていた医師で収集家のハンス・スローンが1698年に入手したものです。生涯に何千点もの品を収集した彼のコレクションは、1753年の死後に大英博物館の所蔵品の中核となります。懐疑論者で科学者であったスローンは、この「仔ヒツジ」の正体が樹状シダの茎か根を巧みに細工してヒツジのような形にしたもので、脚に見えるのは折り取った葉の基部にすぎないと見破りました。それにもかかわらず、仔ヒツジのなる植物の伝説は19世紀に入ってもすたれませんでした。

ヘルマンの標本帳

　チョウも配されたこの標本は、スリランカの植物のコレクションとしては最も古く最も重要な標本帳の1ページです。標本帳の約400種の植物を採集し、押し花にし、名前を付けたのは、医師のパウル・ヘルマン（1646－1695）です。そこに含まれているのは大部分がスリランカの自生種ですが、南北アメリカ大陸から早い時期に持ち込まれた種、たとえばカシューナッツやチェリモヤやワタなども見られます。ヘルマンは、オランダの植民地だったセイロン〔現スリランカ〕の運営を担うオランダ東インド会社に医務長として雇われ、セイロン島に5年間滞在しました。当時の医薬品の多くは植物から採られていたので、ヘルマンは患者を診るうちにその地の植物相に関心を抱くようになりました。けれども、このコレクションが永遠の価値を得

たのはヘルマンの死後です。1695年にヘルマンが没すると、彼の妻は植物コレクションや植物画や手書きのノートをオックスフォード大学の植物学教授ウィリアム・シェラードに送り、シェラードはそれらを編集してヘルマンの名で小規模なカタログを出版しました。その後スウェーデンの科学者カール・フォン・リンネがヘルマンの標本を借り、1747年に出版した『セイロン植物誌』のための基礎資料として利用しました。6年後、リンネは今も使われている「二名法」という植物命名方式を発表します。ヘルマンのコレクションはその際も、リンネによるスリランカの植物の命名の根拠になりました。標本帳のそれぞれの植物の下にはヘルマンによる手書きの説明があり、さらにその下にリンネが書き込んだ参照番号を見ることができます。

スローンの標本帳

　右ページのカカオは1689年に医師で収集家のハンス・スローン〔23、66、152、166ページ参照〕がジャマイカからロンドンに持ち帰ったもので、学術的に記録されたカカオの標本としては最も古いもののひとつです。カカオの学名 *Theobroma cacao* は、ギリシャ語で神々の飲み物をあらわす *theobroma* に由来します。スローンはジャマイカの人々がカカオの種子〔カカオ豆〕を煮て飲み物を作っているのを目にしました。飲んでみると、彼の舌には苦すぎたので、ミルクと砂糖を足すことにしました。イングランドに戻ったスローンはこのレシピを売りに出し、やがてそれをキャドバリー社が改良して、最初は飲み物として、後に、今や世界中でおなじみの板チョコとして広めたのです。

　スローンの標本帳265冊のうち、8冊はジャマイカで作られました。どの標本帳も注意深く乾燥させた植物が満載で、現在は自然史博物館の特別な部屋に保管されています。スローンはジャマイカに住む牧師で画家のギャレット・ムーアに多くの標本のイラストを依頼しましたが、このカカオの葉のようにムーアが描かなかった植物については、イングランドに帰国した後に才能ある画家のエウェルハルドゥス・キッキウスに絵を描いてもらいました（左ページ）。スローンの標本帳は西インド諸島の生物多様性を雄弁に物語る優れた記録として、今でもしばしば研究者に利用されています。

古生物学

Palaeontology

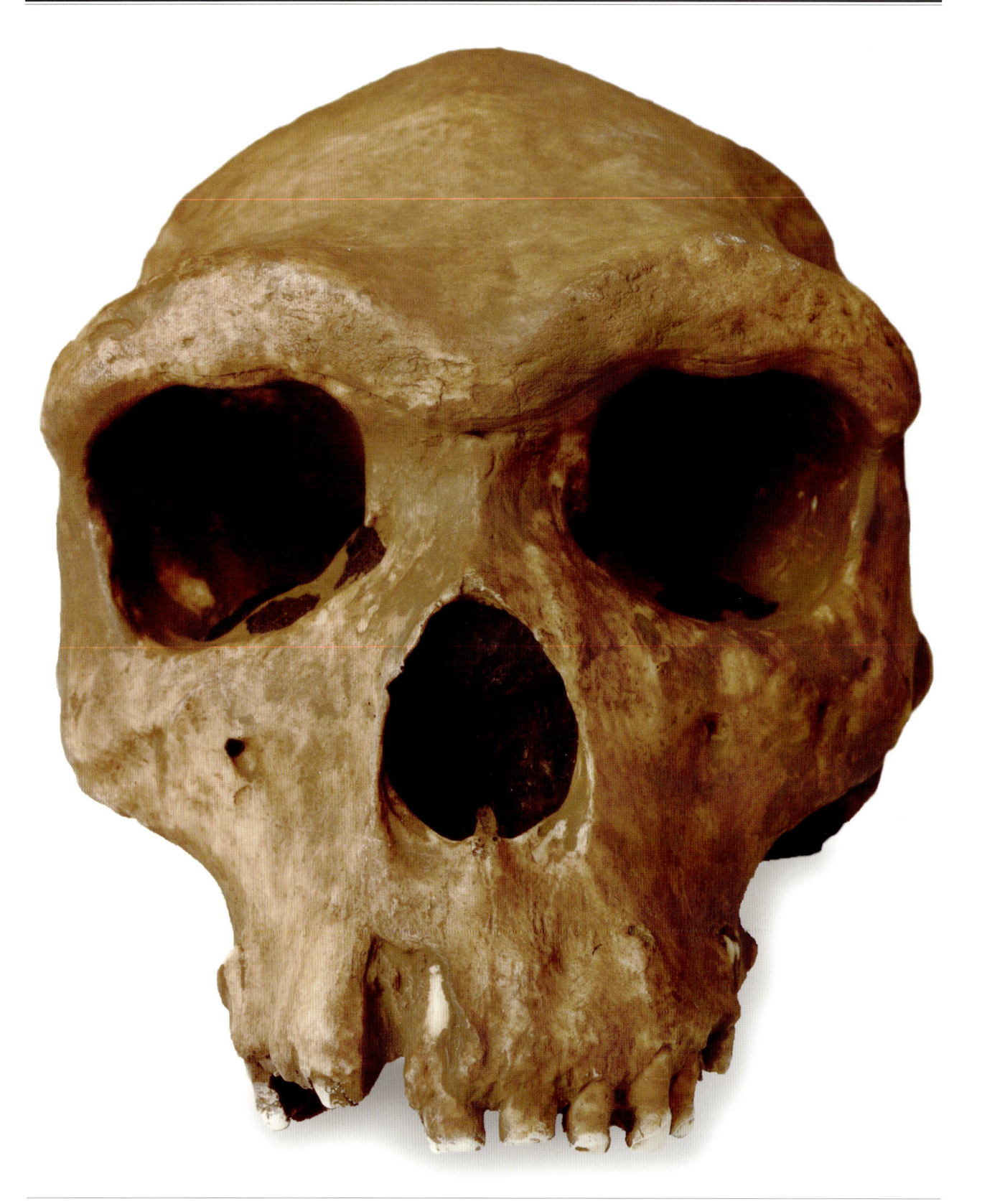

ローデシア人

　「ブロークンヒルの頭骨」は、初めてアフリカで発見された人骨化石です。1921年にローデシア北部のブロークンヒル（現ザンビアのカブウェ）で見つかったこの骨は、ホモ・ローデシエンシスという種名を与えられましたが、現在ではしばしばホモ・ハイデルベルゲンシスに分類されます。ヒトの進化は、この骨をはじめとするさまざまな発見をパズルのピースのように組み立てて推測されてきました。およそ500万年から800万年前、霊長類の祖先が別々の系統に分岐しました。ゴリラとチンパンジーが片方の道を行き、われわれ現生人類に続くグループがもう片方の道を歩みはじめました。何種類かのヒト族が現れては消え、250万年ほど前に、ホモ・ハビリスを含む最初のヒトが登場します。さらに進んだホモ・エレクトゥスはおそらくホモ・ハイデルベルゲンシスへと進化し、そこからホモ・ネアンデルターレンシスとホモ・サピエンスが出てきたとされています。ブロークンヒルの頭骨は、ホモ・ネアンデルターレンシスのような長い顔をしていますが、鼻はそれより小さく、眼窩上隆起（がんかじょうりゅうき）はずっと大きいという特徴を持っています。かつては4万年前より新しいものと考えられ、人類進化史におけるアフリカの後進性を示すものとされていました。しかし現在では、この骨の年代はおそらく30万年前に近く、すべての現生人類の祖先になったアフリカのヒトのものかもしれないと考えられています。

ピルトダウン人のクリケットバット

　クリケットのバットに似た形をしたこの化石は、科学史上まれにみる偽造事件に利用されました。これが発見されたのは、英国サセックスのピルトダウンにあった砂利採取場です。古代の道具だという触れ込みで、類人猿とヒトの間をつなぐ「ミッシングリンク」の証拠だとされました。しかし、それは全部嘘でした。ことの発端は1912年、地元の弁護士で化石ハンターのチャールズ・ドーソンが、ピルトダウンで発見したという大きな頭蓋骨の一部を自然史博物館の地質学部門長アーサー・スミス・ウッドワード〔107ページ参照〕に見せたことでした。次の夏に彼らはピルトダウンで調査を行い、類人猿に似た下顎骨（右下）も見つかりました。これらの骨は類人猿がピルトダウン人というミッシングリンクを経て人類へと進化した証拠である、そう彼らは主張しました。2年後にドーソンはバットの形をした象の骨（上）を見つけ、これこそピルトダウン人が使った道具であると主張しました。ようやく1953年になって、新しい年代測定法と分析技術により、頭骨と下顎骨は1000年前よりも新しいことが判明します。下顎骨はオランウータンのもので、骨も歯も古く見えるように着色されていました。バットには、明らかに近代の鋼鉄製工具で切断した跡がありました。これまでに、捏造（ねつぞう）の容疑者として20人以上の名が挙げられています。すべての発見現場に居合わせていたドーソンはもちろんですが、自然史博物館のとある箱の中から着色された別の骨と歯が見つかったことから、犯人は複数ではないかとも疑われています〔最近の研究で、ドーソンが単独で行ったとほぼ断定されました〕。なお現在では、類人猿とヒトは共通の先祖を持つものの、両者の間にあるミッシングリンクはひとつではない、ということがわかっています。

初めて発見された魚竜の化石

　これは世界で最初に発見された魚竜の化石で、長さは1メートルあり、現在ではテムノドントサウルス・プラティオドン（*Temnodontosaurus platyodon*）と同定されています。魚竜というのは絶滅した海棲爬虫類の1グループで、およそ2億4000万年前から1億年前にかけて生息していました。標本が発見されたのは1811年ですが、当時の科学界としては異例なことに、発見者は女性でした。彼女の名はメアリー・アニング（1799–1847）、世界最初のプロの化石ハンターです。メアリーは見つけた化石を博物館、富裕層、化石収集家などに売って家計を支えていました。自宅のあったイングランド南海岸のライム・リージス近くの崖のそばで長さ1メートルほどのこの化石を見つけたのは、彼女が11歳の時です。彼女は何人かの男性を雇って化石を掘り出し、荘園主のヘンリー氏に23ポンドで売りました。ヘンリー氏はそれをロンドンのピカデリーにあったウィリアム・バロックの博物館に譲ります。その頃は、誰もこれが何の化石なのかわかりませんでした。長い鼻先と歯は魚と爬虫類が一緒になった不思議な姿に見えたため、最初の学名は魚と爬虫類をあらわすギリシャ語を組み合わせたイクチオサウルスと付けられました。1819年にバロックの博物館が閉館になると、コレクションは競売にかけられ、アニングの見つけたこの貴重な化石は大英博物館が買い取りました。その後一時行方不明になったという噂も流れましたが、この化石は1881年にサウスケンジントンの自然史博物館が開館して以来ずっと展示されつづけています。

南極圏の葉と木の化石

　この化石化した葉のかけらは、自然の生んだものはどんなに小さくても尊い価値を持つことを高らかにうたいあげています。これは探検家のロバート・ファルコン・スコット大佐が南極探検で採集したグロッソプテリス・インディカ（*Glossopteris indica*）という植物の葉の化石で、今は氷雪に覆われた南極が太古には森林だったことをわれわれに教えてくれた最初の証拠のひとつなのです。化石は南極中央部のベアードモア氷河で発見され、その場所がかつては今よりずっと暖かい気候だったことを証明しています。スコット率いるテラ・ノヴァ号の探検隊は、南極点一番乗りを目指しつつも、多くの標本を採集しました。けれども、苦労の末に極点にたどりついたスコットは、1ヵ月前にノルウェーのロアルド・アムンセンが先着していたことを知ります。失望のうちに帰路についたスコット隊は、寒さと飢えで命を落とすというさらなる悲劇に見舞われました。スコットが南極探検で収集した品の多くは、現在では自然史博物館に所蔵されています〔48ページ参照〕。その中には、探検隊の遭難死から8ヵ月後に遺体とともにテントの中で発見された木の化石（右）もあります。これもまた、南極がかつて温暖だったことの 証 です。

オパール化した巻貝と二枚貝

　多くの化石はくすんだ灰色や茶色ですが、ここに見られる古代の貝の殻は化石になる過程でオパールに変わったので、美しい虹色に輝いています。二枚貝の長径は5センチ、大きい巻貝は2.5センチで、発見場所はオーストラリア南部のクーバー・ペディという世界最大のオパール産地です。この町の名は、「穴の中の白人」を意味する先住民アボリジニの言葉の「クパ・ピタ」から来ています。かつてオパール採掘者やその家族が、砂漠の耐えがたい酷暑を避けるために地下に住んでいた（今も一部の人はそうしている）ことに由来すると考えられています。オーストラリアは、世界のオパール生産の大部分を担っている土地です。1億1000万年前の白亜紀にはオーストラリアのおよそ3分の1が海に覆われており、その頃の海岸線付近でオパールが見つかるのです。ごくまれに、海底に生息していた巻貝や二枚貝などの生物の殻の炭酸カルシウム分がオパールに置き換わることがあり、そうした標本は磨くと見事な輝きを見せてくれます。

古代の両生類の幼生

これは、全長7センチの両生類の幼生の化石です。きわめて保存状態が良好で、今のカエルやイモリの祖先が3億年前にどんな姿をしていたかをほぼ正確に伝えています。さらにこの化石は、彼らが水中で生活していたことも教えてくれます。軟組織が化石として保存されることはごくまれですが、この標本には多くの軟組織が残っています。骨格だけでなく、体全体の輪郭、長い尾の形状、眼球がわかり、さらに頭骨のすぐ後ろの両側にはかすかに鰓（えら）の痕跡も見えます。胴部が膨れているのは、死後に内臓が腐ってガスが発生し、体腔が膨れ上がったためだろうと考えられます。数百匹が大量死した状態で見つかっており、彼らが生息していた池か湖が酸欠状態になって死んだとみられています。

アパテオン・ペデストリス（*Apateon pedestris*）というこの両生類の最初の化石は、19世紀後半に同定されました。写真の見事な標本は1925年に自然史博物館がドイツから購入したものです。オタマジャクシから成体になる際に大きく姿が変化するカエルとは違って、古代の両生類の幼生は今のイモリやサンショウウオと似た外見でした。この標本が幼生だとわかるのは、外鰓（がいさい）〔体の外側に突き出た鰓〕が見事に保存されているからです。外鰓は水中での呼吸に使われ、陸上生活をする成体では消失します。また、手首と足首の骨があるべき部分が隙間になっているので、まだその部分が骨化しておらず、陸上で自重を支えられる状態にはなっていなかったとみられます。

ウィットビーの
スネークストーン

　英国ヨークシャーのウィットビーで産出したこの写真のようなアンモナイト化石は、その昔、ヘビが石に変わったものだと信じられていました。時には化石にヘビの頭部が彫刻され、スネークストーンと呼ばれました。アンモナイトは実際はイカの親戚にあたる軟体動物の渦巻き形の殻で、二枚貝や巻貝の遠縁にあたります。4億年前から6500万年前くらいまで、アンモナイトは世界各地の海における重要な捕食者でした。ウィットビーはアンモナイトで非常に有名で、16世紀か17世紀の一時期にはこれを町のシンボルにしていました。今でも町の紋章にはアンモナイトが描かれていますし、町のサッカーチームであるウィットビータウンFCに至っては、チームの紋章のクレスト〔一番上の部分〕にもアンモナイトを配しています。

　アンモナイトという名前は、この化石の渦巻きと、古代エジプトのアモン（アメン）神の頭部にしばしば付けられていた牡羊の角が似ていたことに由来します。中国でも、古代の一部の巻貝化石を角と結び付けて、角石（jiǎo–shi）と呼んでいます。また、ローマ時代には、アンモナイトを枕の下に入れて眠るといい夢が見られると考えられていました。

真珠光沢アンモナイト

　アンモナイト亜綱（あこう）に属するプシロセラス・プラノルビス（*Psiloceras planorbis*）はブリテン島で最も古いアンモナイト化石で、この標本は２億年がたったいまでも殻の真珠層の光沢を見ることができます。アンモナイトの殻で真珠層が見事に保存されている、珍しい例です。通常は殻の内側の空洞が堆積物で満たされ、その堆積物が化石化の過程で硬くなる一方、殻自体は溶解して、殻の内側の構造が堆積物に写しとられた状態になるか、もしくは殻が別の鉱物に置き換わるかします。このなかで一番大きいアンモナイトの直径は5.5センチです。

　この標本のアンモナイトはそれ自体が魅力的なだけで

なく、ウィリアム・スミス・コレクションの一部だという点でも注目に値します。土木技師から地質学者に転じ、初めてイングランドとウェールズの地質図〔35ページ〕を作成したことで知られるウィリアム・スミス（1769−1839）が収集した品々は、自然史博物館の歴史的コレクションの中で最も重要なもののひとつです。この化石をスミスが自ら採取したかどうかはわかっていません。学者たちはしばしば化石を交換したり、借りたり、買ったりして、自分のコレクションを充実させていったからです。ただ、発見場所のサマセット州ウォチェットを示すWatchetというラベルは、スミスが手書きしたものです。

ウミユリ

　これほど保存状態の良いウミユリの化石はめったにありません。古代から贈られた石の芸術品とみまごうこの標本は、コインを重ねたようなしっかりした茎状の支持部と、分岐を繰り返して次第に細くなっていく上部の腕がはっきりとわかります。見た目とはうらはらに、ウミユリは植物のユリとは全く関係がありません。それどころか植物ですらなく、ウニの親戚にあたるウミユリ綱[こう]というグループに属する動物です。特に状態の良いウミユリの化石は、イギリス、アメリカ、スウェーデンで見つかっています。自然史博物館にはウミユリの標本が数百点ありますが、左の写真のものほど魅力的な例はごくわずかです。この化石は1800年代に、ウェスト・ミッドランズのダドリーという町にあるレンズ・ネストというイギリス有数の化石産出地で発見されました。およそ4億2000万年前のシルル紀には、ダドリーのあたりは熱帯の海でした。今は石灰岩の丘になっている場所はサンゴ礁で、三葉虫やウミユリや腕足動物やその他の生き物であふれていました。このあたりからは700種を超える生物の化石が発見されており、うち86種は地球上でここでしか見つかっていません。右ページの岩板一面を覆うような美しい標本はセイロクリヌス属（Seirocrinus）に分類されるもので、約1億9000万年前のジュラ紀に生息していたウミユリです。

恐竜の歯

　「かつて巨大な爬虫類（後に恐竜と命名される）が地上を闊歩していた」という進化史上最大級の知見をもたらしたのは、左下の写真の歯でした。どちらの歯も、桃の種くらいの大きさです。記念碑的な重要性をもつ歯ですが、これが1822年にイングランド南東部のルイスの近くの道端で発見されたのはまったくの偶然でした。医師で古生物研究家でもあったギデオン・マンテルの妻メアリー・アン・マンテルが、夫の往診についていった際に、道の脇に積み上げられていた道路工事用の岩石の中からこれを見つけたのです。しかしマンテルはそれがいったい何かがわからず、困惑しました。彼はその歯を王立外科医学院に持っていき、サミュエル・スタッチバリーに見せました。スタッチバリーは、現代の爬虫類であるイグアナの歯に一番よく似ているが、ただし大きさはイグアノの歯の10倍ある、と述べました。この見解に背中を押されたマンテルは、その後3年かけて、太古に巨大な爬虫類が存在したという自説をまとめ上げます。そしてその歯をイグアノドンと名付ける論文を1825年に発表しました。しかし、恐竜（dinosaur）の命名者は、後に自然史博物館の初代館長となるリチャード・オーウェンです。巨大な爬虫類を同定したのはマンテルでしたが、マンテルの画期的発見を利用して1842年にその巨大爬虫類に含まれる3種の生物 —— イグアノドンを含む —— を恐竜類と命名したのは、オーウェンだったのです〔34ページ参照〕。

ディプロドクスの骨格

全長26メートルのディプロドクスの骨格は自然史博物館を象徴する収蔵品のひとつで、100年以上の長きにわたって展示され、ディッピーという愛称で親しまれています。この巨大で首の長い恐竜（竜脚類）の骨が最初に発見されたのは1898年、アメリカのワイオミング州でのことでした。スコットランド生まれの億万長者アンドリュー・カーネギーが新たにピッツバーグに作るカーネギー博物館のために骨格標本を探していた時、1メートル以上もある大腿骨に目を留めたのです。3年以上の歳月と1万ドルをかけ、カーネギーの古生物学者チームは完全な骨格を復元するのに十分な骨の化石を掘り出しました。その恐竜はカーネギーに敬意を表してディプロドクス・カルネギイ

（*Diplodocus carnegii*）と命名されました。カーネギーからこの恐竜の骨格の図面を見せられた英国王エドワード7世は、自然史博物館に展示するためにそのレプリカを所望し、カーネギーが自費で複製を作って寄贈することになりました。複製の制作には18ヵ月を要し、36個の木箱に詰めて船でイギリスに届けられて組み立てられた骨格は、1905年に自然史博物館の爬虫類ホールで大喝采のうちに除幕されました。その当時は尾は床に垂らしていましたが、その後の研究で、ディプロドクスは首とバランスを取るために尾を持ち上げていたことが判明します。そこで1993年にディッピーの組み立て直しが行われ、それ以来、尾を空中に上げた現在の姿で中央ホールに展示されています。

始祖鳥

　始祖鳥（*Archaeopteryx lithographica*）のこの化石は、自然史博物館の全コレクションの中でも最重要級の標本です。知られている限り最古の鳥である始祖鳥は、鳥が恐竜から進化したという議論が始まるきっかけとなりました。始祖鳥の化石はこれまでに10点ほどしか発見されておらず、いずれも南ドイツのごく狭い地域にある石灰岩の石切場から産出しています。この小型肉食生物には現生の鳥のような翼と羽毛がありますが、同時に、恐竜と同じく歯があり、骨のある尾と前肢の鉤爪も備えていました。最初にこれを見つけた石切場の作業員は、広げた翼と繊細な体から、1億4700万年前に潟湖の泥の細粒に埋もれた天使の遺体だと考えたそうです。自然史博物館初代館長のリチャード・オーウェンは、これが何か特別なものだということは見抜きましたが、一体どういう意味を持つのかまでは彼にもわかりませんでした。化石を所有していたドイツ人医師のカール・ヘーバーライン博士は、娘の結婚の持参金を調達するためにおよそ2000点もの化石コレクションを売りに出し、自然史博物館にとっては幸いなことに、オーウェンはこの化石を買い取る決心をしました。

　1990年代に入ると、恐竜が鳥へと進化したことを示すさらなる証拠が見つかりました。鳥類に近縁な小型で肉食の恐竜が中国で何種類も発見され、そのなかには綿羽のような原始的な羽毛で覆われたものもあったのです。

モンゴルで発見されたプロトケラトプスの頭骨

　自然史博物館には恐竜の頭骨が多数所蔵されていますが、この標本はそのなかでも最も魅力的かもしれません。立派なくちばしのある口とエレガントな頭のフリルを持つこの骨は、プロトケラトプスのものです。プロトケラトプスはおよそ8000万年前の白亜紀に生息していた恐竜で、この頭骨はモンゴルで見つかりました。大きさはクマの頭骨くらいです。

　プロトケラトプスが最初に発見されたのは、1922年のことでした。アメリカ自然史博物館から派遣されたロイ・チャップマン・アンドリュース率いる調査隊の古生物学者たちが、初めてモンゴルのゴビ砂漠に踏み込みました。当時のモンゴルは中国の軍閥の支配下にあったので、彼らは不安を覚えながら調査活動を開始しました。彼らの車列が乾燥した大地を走り、時折止まっては岩の露出した部分を調べたり、ラクダに乗った隊商にガソリンと食糧の補給を受けたりしている様子は、さぞかし奇異な光景だったことでしょう。調査隊は当初は人類の化石の発見を目指していたのですが、地面に露出したプロトケラトプスの骨に気付くまでにさして時間はかかりませんでした。彼らはまた、恐竜の卵と、最初のヴェロキラプトル（小型肉食恐竜）も発見しました。

トリケラトプス

　トリケラトプスは恐竜の進化史のなかで最も遅い時期に進化した種のひとつで、約6600万年前に起きた白亜紀末の大量絶滅に至る最後の200万年間に生息していました。彼らは草食性で、北米の大草原を住みかとしていました。ティラノサウルス・レックスは大きく鋭い歯で有名ですが、トリケラトプスはフリルのついた頭骨と角によって愛されています。フリルと角はどちらも、間違いなく捕食者から身を守るために役立ったことでしょう。ただ、恐ろしい外見とは裏腹に、むしろそれらは求愛の時や強さを見せつける時に使われることの方が多かったと考えられています。

　トリケラトプス（*Triceratops*）という名前は「3本の角を持つ顔」という意味で、目の上にある1対の角は長さが1メートルほどもあります。完全な骨格はあまり見つかっていませんが、部分標本が多数あり、それらを組み合わせて考えることで、畏敬の念を抱かせるこの動物の姿が復元されました。この標本の全長は6メートルですが、成長するとおそらく9メートルほどにもなり、少なくともその4分の1を頭骨が占めます。トリケラトプスの骨は1887年にコロラドで初めて発見されましたが、目の上の1対の角とその根元の頭骨の一部だけだったので、最初は誤って「並はずれて巨大なバイソン」のものと考えられていました。

葉の化石

　まるで石灰岩にレース細工を押し付けて貼ったように、完璧な姿を残したポプラの葉。ドイツのエーニンゲンで発見された、およそ1400万年前の新生代中新世のものです。このポプラをはじめとして自然史博物館が所蔵する約20万点の植物化石は、条件さえ良ければどんなにはかないものでも化石となって残りうることを示す、美しき証拠といえます。ハート形のこの葉は枝を離れてふわりと湖面に落ち、底に沈み、堆積物に覆われたのでしょう。葉がほとんど無傷なので、湖面は鏡のように静かだったに違いありません。もとの葉の成分で残っているのは壊れにくいロウ質のクチクラ層だけで、内部の軟らかい組織はすぐに朽ちてしまったはずです。けれども、この標本は美しさのほかにも重要な意味を持っています。気候変動の研究者が化石の葉の構造を調べることで、太古の気候条件を知る手がかりを得られるのです。たとえば、ギザギザになった葉の縁は比較的冷涼な場所で育つ木の葉によく見られ、葉の表面に気孔（植物が呼吸をするための小さな穴）が多ければ、二酸化炭素濃度が低めだったことがうかがわれます。

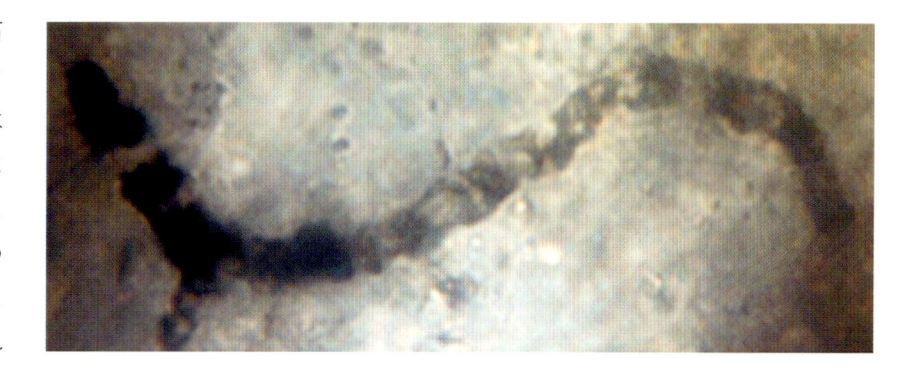

世界最古の化石

　西オーストラリアで見つかった岩をスライスした薄片には、ほぼ間違いなく世界最古とされる35億年前の生物の化石が含まれています。地球上で最も古い生命形態のひとつ、藍藻（シアノバクテリア）です。直径が5マイクロメートルほどの藍藻は、顕微鏡を使っても見つけるのはこのうえなく困難です〔1マイクロメートルは1ミリの1000分の1〕。写真の微生物は、1933年に科学者のビル・ショプフがエイペックス・チャートと呼ばれる地層を研究していて発見しました。髪の毛よりも薄くスライスした岩石を顕微鏡でのぞいたショプフは、微小な化石を見つけてびっくりしました。これらが個体のごく一部なのか全体なのかはまだ学者の間で議論がありますが、年代は疑いようがありません。エイペックス・チャート層の上と下の溶岩層は年代が判明しているので、この化石はたしかに地球がまだ10億歳だった時に形成されたものです。

チャレンジャー号の標本

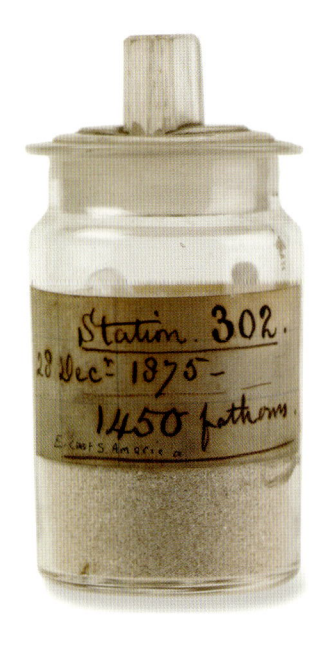

　この広口瓶やスライドは、世界で初めて海洋の物理学的・生物学的調査を本格的に行ったチャレンジャー号の探検航海の成果です。チャレンジャー号は1872年にイギリスを出港して3年半の航海で世界を回り、船上の専門家たちは海底から採取したサンプルを何千個もの広口瓶やボトルやブリキ缶や試験管に詰めて持ち帰りました。乾燥・洗浄された堆積物は砂のように見えますが、実は何十億個という単細胞生物の微小な化石です。この当時はまだ、深海についてはとんど何も知られていませんでした。一部の学者に至っては、550メートルより深い場所には生命は存在できないと主張していました。だからこそ、海底に敷設された通信ケーブルを修理のため引き上げた時に小さな甲殻類がびっしりと張り付いていたのを見て、新たな発見を求める探索がにわかに始まったのです。

　チャレンジャー号は南アメリカから喜望峰へ、南極からオーストラリア、フィジー諸島、日本へと大海原を縦横に航海して回り、海水温、海流、8000メートル以上の水深を測定しました。調査結果は50巻の報告書にまとめられ（一部の巻は自然史博物館が編纂）、貴重な遺産として今日も利用されています。

化石木とブードゥー人形

　自然史博物館のコレクションには戸棚いっぱいの化石木がありますが、上の写真の標本は、呪術がかけられているとされる点でユニークです。2001年にこの化石が入った木箱を開けた時、箱の内側には「ブンガ・ブンガ・ゴナゲッチャ〔ブンガ・ブンガが仕返しにくるぞ〕」という言葉と、頭蓋骨と交差した骨の絵が描かれていました。呪術をかけたのは米国サウスカロライナ州に住むある男性で、木が盗まれないようにするためでした。彼は出会った科学者を気に入ってこの木を譲ることにしたのですが、箱を送る際には魔よけのブードゥー人形も一緒に入れてきました。標本そのものはさほど謎めいたものではなく、北アフリカの砂漠で発見された、化石化したヤシの木です。こうした木の化石は、1500万年くらい前にそのあたりが森林だったことを物語っています。標本とともに送られたメモには、人形がブードゥー教のロコという神で、治療師と植物、とりわけ樹木の守護者であることと、人形の霊力を更新するためには年に1度死んだ犬の頭と一緒に埋める必要があり、それ以外の時は常に木のそばに置いておくように、と記されていました。

さやの中の豆

　古生物学者のＴ・Ｄ・Ａ・コッカレル（1866-1948）の化石植物コレクションには、思わず引き込まれてしまうような魅力を持つ珠玉の標本がたくさんあります。写真はそのひとつで、北米のコロラド州で見つかった3400万年前の岩に、つつましい豆のさやとその中に行儀よく並ぶ豆の姿が写し取られています。さらに、この標本には「双子の片割れ」が存在します。化石はしばしば、岩を割った面の両側に見ることができます。化石採集者が岩を割ると、岩石の一番弱い部分に沿って割れることが多いものですが、弱い部分というのはたいていは化石が埋まっている面で、時には割れた岩石の両方の面に化石が分離してしまうことがあるのです。コッカレルは多くの植物化石や一部の昆虫化石で、その両方の面を所有していました。彼は鷹揚にも、標本の半分をロンドン自然史博物館に、残りの半分をニューヨークのアメリカ自然史博物館とコロラド大学に分け与えました。万一ロンドンの標本に不慮の事態が生じても、研究者には、それと対になる標本をアメリカで調べる道が残っているというわけです。

すし詰めのフナクイムシ

フナクイムシは、体こそ小さいものの恐るべき破壊力の持ち主です。とどまるところを知らない食欲で海中の木を食らい、桟橋も橋も、軍艦さえもボロボロにしてしまいます。この木片は、およそ5000万年前、イングランドがまだ熱帯の森に覆われていた頃のものです。倒れた木が浅瀬へ流れていき、フナクイムシのうちテレド属の1種（*Teredo* sp.）の攻撃を受けました。やがて木は水底へ沈み、泥に埋まって、化石になりました。フナクイムシは実際は虫ではなく二枚貝で、最長で50センチにもなる蠕虫のような長い体の端っこに、小指の爪よりも小さな貝殻があ

ります。フナクイムシは木を食べて中にもぐりこみ、分泌物で周囲を管状に固めながら、トンネル工事をするように進みます。極端な例では、木の組織がほとんどなくなって、喰い跡であるトンネルで埋め尽くされてしまいます。

フナクイムシの威力を示す逸話をひとつ紹介しましょう。もしフナクイムシがいなければ、スペイン無敵艦隊は1588年にイングランド侵攻に成功していたかもしれません。実は、スペインの船はフナクイムシに食べられて穴だらけになっていて、イングランド軍の攻撃や悪天候に耐えられなかったのです。

多層連結の貝

　英語でslipper limpet（スリッパのようなカサガイ）と呼ばれるエゾフネガイ類の貝が積み重なった標本。貝の学名はクレピドゥラ・グレガリア（*Crepidula gregaria*）といい、積み重なった状態で高さは6センチあります。これは、チャールズ・ダーウィンがビーグル号の航海（1831－1836）の際にチリで採取し、他の数多くの植物や動物とともにイングランドに持ち帰ったもので、コレクションとして大切に保管されています。けれども、50年後にこの貝の仲間の1種がイギリスを侵略して南海岸の貝の一大勢力となり、もとから生息していたカキ（牡蠣）を減少させることになろうとは、ダーウィンも思いもよらなかったでしょう。エゾフネガイ類の貝は、外見は笠のような形ですが、巻貝の1種です。不思議なことにこの貝は最大で12個体が重なって一緒に生き、成長します。若くて小さい個体が一番上で、下へ行くほど年を重ねた大きな個体になります。一番下にいる一番高齢の個体は、死ぬとはがれて落ちます。なぜ連結するのかは不明ですが、交配と関係しているのではないかとみられています。というのも、一番上の個体はオスで、一番下はメス、その間の個体は雌雄同体なのです。連結して生活していれば、近くに交配相手が数個体いることになり、上のオスが下のメスに精子を提供して卵を受精させることができます。

偽物の齧歯類骨格
_{げっしるい}

食パン1枚くらいの大きさの石板に埋まったこの小さくて奇妙な齧歯類の骨格は、19世紀の最も優れた科学者のひとり、リチャード・オーウェンを欺_{あざむ}いた品です。これはC・グリーン牧師という熱心なアマチュア古生物学者から1843年に送られてきた数点の化石のひとつで、グリーンによれば、ノーフォークの海岸近くを掘っていた時に、小さくて繊細なこれらの骨格が泥の中に埋まっているのを見つけたとのことでした。オーウェンはすぐに、何百万年も前の非常に古い時代の齧歯類の化石であろうと考えて、4点を選んで自然史博物館のコレクションに加えました。ところが、実はこの骨格は

謎の螺旋

この状態で掘り出されたわけではなかったのです。グリーンは別々に見つけた複数の個体の骨を合わせてこれを作ったのでした。年代も、オーウェンの推測よりずっと新しいものでした。捏造と呼ぶことも可能ですが、むしろ、グリーン牧師は単に大好きな発掘で見つけた骨を組み立てて、風の吹きすさぶ海岸で泥を掘るという行為の成果を友人たちに見せようとしただけだったとも考えられます。オーウェンはやがて自分の見立て違いに気付き、憤慨してグリーンのこの"作品"を「悪質な詐欺」と呼びましたが、それは自身のプライドをいくらかでも慰めるためだったかもしれません。

全長3メートル近い巨大な巻貝のようなこの岩は、ディノコクレア（Dinocochlea）と呼ばれています。しかし、この奇妙な物体が一体何なのかは、まだわかっていません。この標本およびこれと似たものがいくつか発見されたのは、イングランド南部イーストサセックスのおよそ1億3500万年前の岩の中で、同じ地層からは恐竜イグアノドンの化石も産出しています。ひとつだけ確かなのは、ディノコクレアは巻貝ではないということです。殻の痕跡もなければ、成長線（貝の成長とともに形成される線）もないからです。これは、岩の塊なのです。仮に巻貝の殻の内部が堆積物に埋め尽くされ、外側の殻がなくなってしまったとしても、殻の内側の繊細な形状が堆積物に残るものですが、この標本の表面は滑らかです。また、巻貝と違って螺旋がやや不規則なうえ、右巻きと左巻きのどちらも見られます。これは、糞石——つまり恐竜か何かの糞の化石なのでしょうか？　それにしては形が整いすぎているのでは？　それとも、太古の螺旋状の巣穴に堆積物が入り、凝固してできたものでしょうか？　もしそうなら、こんな大きな穴を掘るのは大きな生物、脊椎動物に違いありません。今のところこの標本の正体は自然界の謎のままで、今後の学術的研究がまたれています。

イカの化石

　これほど全体が揃ったイカの化石が見られることはめったにありません。通常は軟体部分はたちまち腐ってなくなり、そこにイカが存在したことを示すのはわずかに触手の小さな鉤状突起（こうじょうとっき）だけになります。ところがこのベレムノテウティス・アンティクウス（*Belemnotheutis antiquus*）の見事な標本（長さ25センチ）は、胴体と触手の両方が丸ごと化石になっています。この標本はイングランド南部ウィル

トシャーの有名なオックスフォードクレイ層で発見された、1億6000万年前のものです。標本ラベルは失われていますが、おそらく19世紀半ば頃に発見されたものだと考えられます。当時は採石が人力で行われており、作業員たちはこの標本のような"お宝"が出てくるのではないかと目を光らせながら掘っていました（残念ながら、重機が導入された現在では、気付かれないまま化石が破壊されていることが

よくあります）。オックスフォードクレイ層は、海底に降り積もっていた細粒の堆積物です。海中の生き物は、死ぬと静かに底へ沈んでいきました。酸素がわずかしか存在せず、死肉を食べる生物もほとんどいない海底という静寂の世界で、死骸の軟体部はリン酸塩鉱物に変化しました（リンはおそらく朽ちゆく死骸に由来します）。そのため、この層では軟組織や触手や、時には墨袋までが保存されたのです。

バリオニクス、または「重いカギヅメ」

　カーブの外側の長さが31センチもあるこの恐ろしいカギヅメは、およそ1億2500万年前に生息していた、ワニのような口を持つ恐竜のものです。1983年にアマチュア化石ハンターのウィリアム・ウォーカーによって発見されました。ロンドンの南方にあるサリー州のレンガ用粘土の採掘場を歩いていた彼は、この巨大なカギヅメが地面から突き出しているのを見つけたのでした。それを受けて自然史博物館が掘り出した骨は新種の恐竜のものと判明し、素晴らしい発見をしたウォーカーを記念してバリオニクス・ワルケリ（Baryonyx walkeri）と名付けられました。しかし、とても細長い顎とこれほど大きなカギヅメを持ったこの生き物は、いったい何を食べていたのでしょう？　バリオニクスの鋭い歯には他の肉食恐竜の歯よりも細かい鋸状の縁があり、スプーンのような形をした顎の先端部には大きめの歯が生えています。鼻孔は、鼻先よりも目に近い方に位置しています。こうした特徴はすべて、バリオニクスが魚を食べて生活していたことを強く示唆しています。顎の正面の歯はすべりやすい獲物をしっかりくわえるのに役立ったはずですし、鼻孔が上の方にあれば息をしながら口の先を水中に突っ込むことができます。バリオニクスという名前は重いカギヅメという意味で、実際その爪には強い力があったことでしょう。爪は、魚を突き刺したり、動物の死肉を引き裂くために使ったとみられています。バリオニクスの化石の腹部に、魚と小型恐竜の遺骸が見つかっているからです。

南アフリカで発見された哺乳類の親戚（単弓類）

　哺乳類の起源は、一見すると爬虫類のような動物（単弓類）だとされています。このキノグナトゥス・クラテロノトゥス（*Cynognathus crateronotus*）の標本は、爬虫類のように見えるかもしれませんが、哺乳類的な特徴を持っています。キノグナトゥスは2億4000万年ほど前の三畳紀 —— 恐竜の登場より2000万年ほど前 —— に生息していました。現生の哺乳類はすべてこうした動物の子孫で、それを示す手掛かりは彼らの口にあります。当時の爬虫類など他の動物は1種類の歯しか持っていませんでしたが、単弓類であるキノグナトゥスには今の哺乳類と同様に3種類の歯があったのです。3種類の歯はそれぞれ異なる役割を果たしていました。顔の正面にある大きな切歯はかみ切るため、左右が対になった犬歯は肉に突き立てて引き裂くため、そして顎の奥の方にある臼歯は剪断するための歯です。このように専門化した歯と正面を向いた目を持っていることは、キノグナトゥスが現生の哺乳類につながる進化の途上にあることを示す強力な証拠です。部分的には爬虫類のような動物であるものの哺乳類的な特徴も備えたキノグナトゥスは、恐竜が出現して彼らをしのぐ権勢を誇るようになるまで、地上を支配していました。恐竜が闊歩する世界では、哺乳類は小型でおそらく夜行性の動物にとどまっていました。しかし6600万年前に鳥類以外の恐竜が死に絶えると、哺乳類の繁栄への道が開け、現在見られるようなさまざまなグループへと多様化しました。

ダペディウムという魚

このダペディウム（*Dapedium*）というジュラ紀の魚のどこが特別なのかというと、これ以上望めないほどよく保存されていて、全身の鱗（うろこ）と頭の骨が生きていた時のままの配置で残っている点が例外的なのです。全長は30センチです。自然史博物館にはこの標本がどこで採取されたものかの記録がありませんが、似た標本はイングランド南岸のドーセット州ライム・リージス周辺で2億年ほど前の地層から複数見つかっています。

平べったい胴体と長い背びれと扇形の尾びれは、ダペディウムが速度こそ速くないものの泳ぎが巧みで、浅い海の岩の隙間を自在に泳ぎ回っていたことを物語っています。

口は小さく、短い顎には細い釘のような歯が生えており、その歯で海藻やサンゴをかじったと考えられています。ダペディウムは海藻などを食べるようになった最古の魚のひとつです。これによって、研究者たちは、獲物にかみついたり貝を砕いたりといった餌の取り方と並んで、海藻食も非常に古くから存在することを知りました。

ダペディウムの名前はギリシャ語の「舗装の敷石」という言葉に由来します。分厚い菱形の鱗が重なり合って敷石のようにびっしり並び、胴体を守っていたと考えられています。頭骨も非常に厚く、やはり捕食者に対抗する堅固な防御手段となっています。

ゴーゴー・フィッシュ

　このエアストマノステウス（*Eastmanosteus*）という魚の標本は、史上初めて酸を使ってクリーニング（岩石から分離）された化石のひとつです。酸を使う方法は、単純ながら画期的な手法で、1948年に自然史博物館のハリー・トゥームズが編み出しました。彼は、魚の骨格化石を封じ込めた石灰岩を丹念に少しずつ削り取っていく代わりに、酢酸の溶液に数週間漬けておきました。石灰岩が溶けるにつれて徐々に骨格が現れます。すべての骨が石灰岩から解放されたら、それらの骨を接着して復元すれば、このような見事な魚の標本ができあがります。酸処理で化石を取り出す方法は、簡単なだけでなく、ほとんど化石を傷つけずに取り出せて化石の状態を良好に保つことができるため、今では広く行われています。

　エアストマノステウスは板皮類（ばんぴるい）という一風変わった魚のグループに属しています。板皮類は、頭部と胴体前部が骨質の装甲で覆われた原始的な魚類で、一時期は世界中の海にいましたが、3億5890万年前までに絶滅しました。絶滅の理由はまだ十分解明されていません。写真の化石は西オーストラリアのゴーゴー層で発見されたもので、その地は3億8000万年前にはサンゴ礁の中でした。

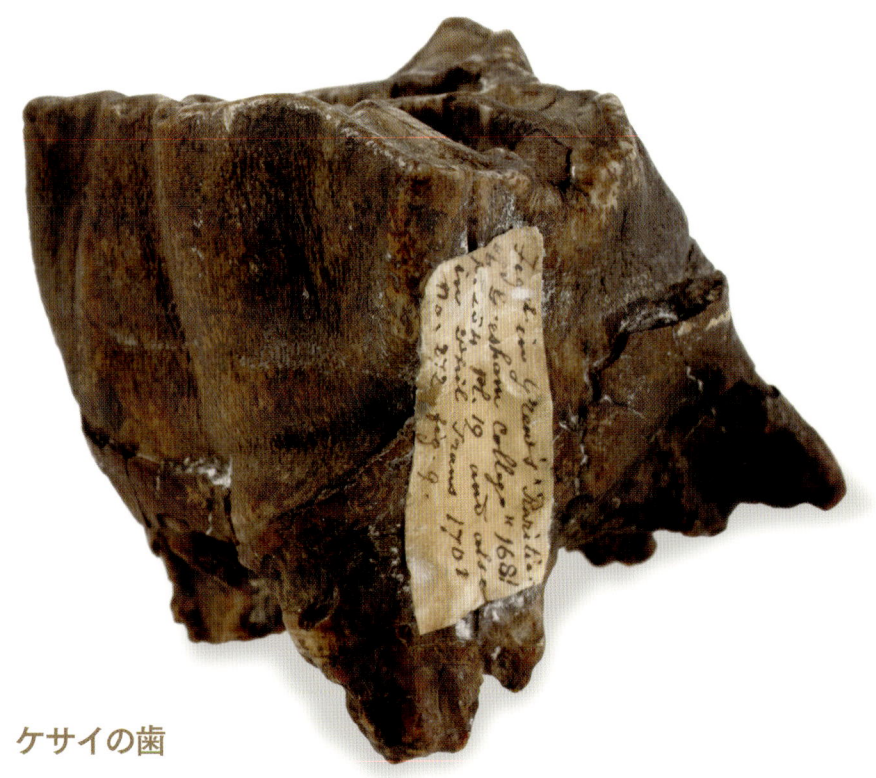

ケサイの歯

　サイの仲間であるケサイのこの歯は、他の２個の歯とともに、化石哺乳類コレクションのなかで最も初期の標本の一部です。1668年にイギリスのケント州カンタベリー近郊のチャーサムでこれを発見した自然史研究家のジョン・ソムナーは、海に住む何らかの怪物のものだと考えました。１個が幼い子供の握りこぶしほどの大きさだったのですから、無理もないことです。実際、化石化したケサイの頭骨は、長く突き出た鼻先、大きな鼻孔、高く上がった後頭部の骨から伝説のドラゴンを連想させても不思議ではありません。ソムナーは自説を発表する前に伝染病で他界し、兄弟のウィリアムが「ジョン・ソムナー氏による、最近ある場所で掘り出した奇妙な骨に関する短い報告」と題する論文を出版しました。王立協会の鬼才ネヘミア・グルーは1681年にこの歯を見て、たちどころにサイのものだと見抜きました。高くせり上がった縁は植物の葉をかみ取るのに役立ち、平らな表面は葉をすりつぶすのに適しています。しかし、これを正しくケサイの上顎の歯だと同定したのは自然史博物館の初代館長リチャード・オーウェンで、1846年のことでした。ケサイは現生のクロサイに似ていますが、全身が毛で分厚く覆われており、今よりもずっと気温が低かった３万5000年前頃に生息していました。

リチャード・オーウェンの肖像

　リチャード・オーウェンは自然史博物館建設の立役者だっただけでなく、化石研究の面でもたぐいまれな才能に恵まれていました。絵の中の彼は大きな骨を手にしていますが、これを絶滅した飛べない巨鳥モアのものだと結論付けた逸話は、彼の才能を物語る好例です。「骨を読む」能力があった彼のもとには、世界中の探検家や科学者から多くの標本が送られてきました。1839年、彼はニュージーランドの研究者から、端が切り落とされた脛骨のように見えるものを受け取りました。骨はわずか15センチほどの長さしかありませんでしたが、オーウェンはすぐにそれが、もはや存在しない巨大な生き物のものだと推理しました。彼は、骨の内部が哺乳類の骨よりもスカスカで隙間の多い状態である点から鳥の骨に違いないと考えましたが、骨の寸法から体が大きすぎて飛べなかっただろうと踏んだのです。そこでオーウェンが出した結論は、「骨の断片を解釈するわが能力を信じるならば、私はわが名声にかけてこう述べよう。ニュージーランドには、今は存在しないかもしれないが、かつてダチョウと似た、そしてダチョウと同じかそれに近い大きさの鳥が存在していた」というものでした。

有孔虫化石でつくったクリスマス・グリーティング

　２点のチャーミングなクリスマス・グリーティングは微小な海生生物の殻で文字が書かれていて、作り手の芸術的才能だけでなく、使われた殻の形の多様性への讃歌にもなっています。どの殻も有孔虫と呼ばれる小さな単細胞生物が作り出したもので、一番小さい殻は砂粒ほどしかありません。殻の形は千差万別で、微細な棒状から先の尖った螺旋、球状、星形などさまざまであり、そのひとつひとつに固有の名前があります。エドワード・ヘロン＝アレンは、クリスマスに他の研究者たちとこのようなスライドと呼ばれるケースに入れた標本を交換していました。写真のスライドは、一時期彼の研究協力者だったアーサー・イアランドから贈られたものです。上のスライドには有孔虫の殻でAE XMAS 1912と書かれており（AEはイアランドのイニシャル、XMASはクリスマス）、下のスライドには、ヘロン＝アレンのイニシャルE H AとXMAS 1909の文字があります。ヘロン＝アレンは自然史博物館で長期間にわたって有孔虫の研究とコレクションの管理にあたり、また、他のコレクションから標本を買い入れて所蔵品を充実させました。そのため自然史博物館には数十万点の有孔虫のスライドがあります。１枚に１個の有孔虫が入ったスライドから、数百個が入ったスライドまで、さまざまです。ヘロン＝アレンは非常に多才な人物で、トルコ語を話し、ペルシャ語を翻訳し、手相占いをし、音楽家としても一流で、バイオリンを２丁制作することまでやってのけました。

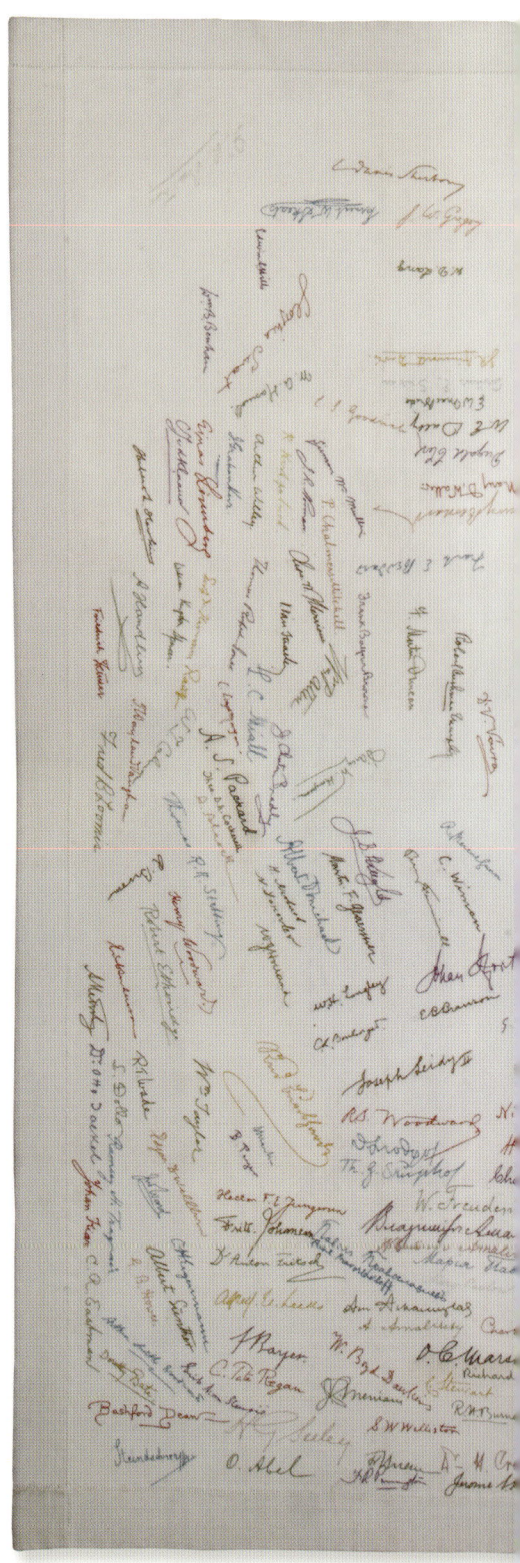

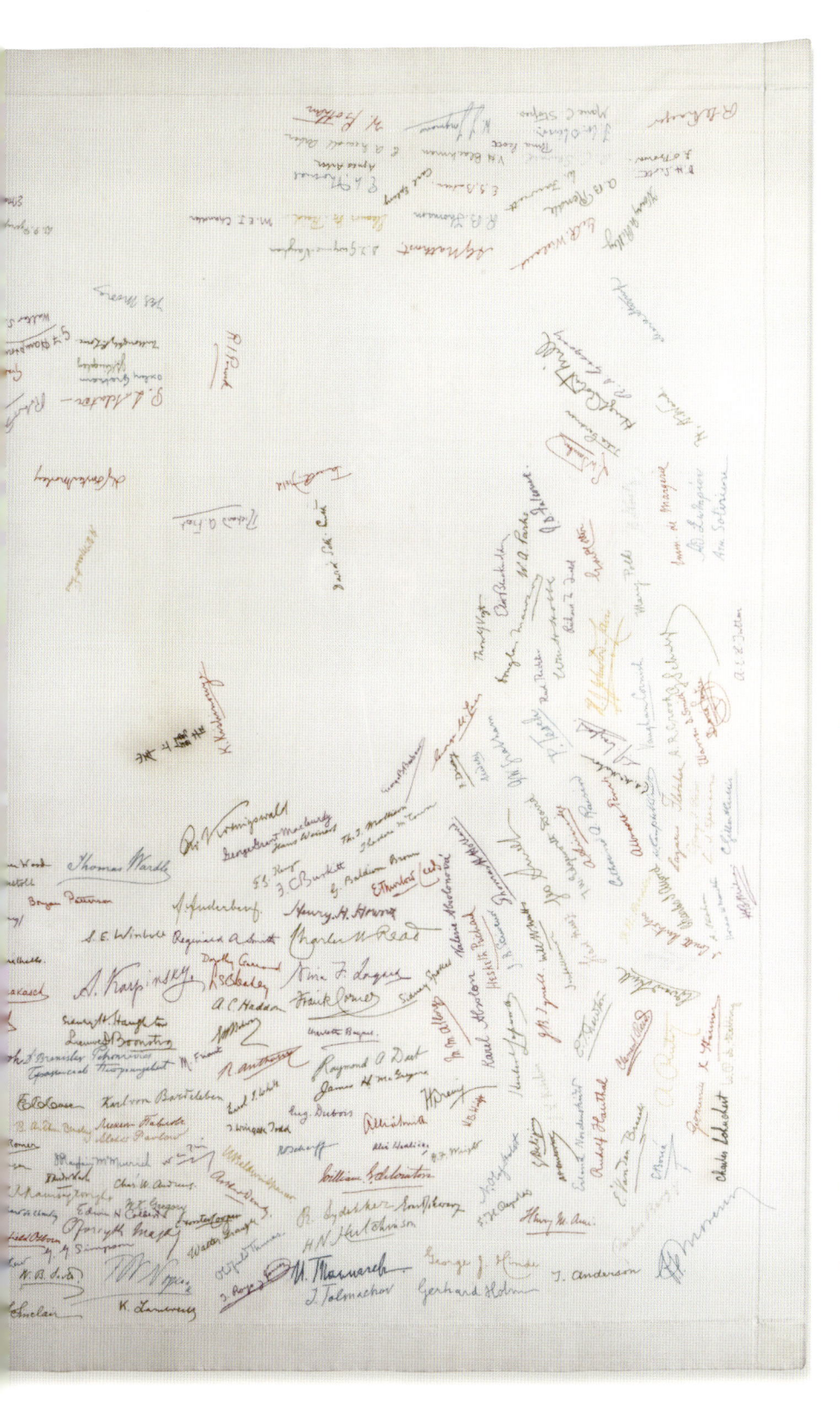

ウッドワードのテーブルクロス

　1メートル四方のテーブルクロスの一面に、サー・アーサー・スミス・ウッドワード邸で食事を振舞われたすべての科学者のサインが書かれ、正確に上をなぞって刺繍されています。ウッドワードはイギリスの優れた古生物学者で、1901年から1923年まで自然史博物館の地質学部門長を務めました。これは、彼の妻モードが、50年に及ぶ結婚生活でもてなした人々のかけがえのない記録として作り上げた品です。1986年、彼らの娘のマーガレット・ホジソンが父の記念にと出資して額装し、展示されました。テーブルクロスには、世界中から訪れた350人近い学者のサインがあります。飛行機での旅が一般化する前の時代ですから、何週間もの船旅の末にロンドンにやってきた人々もいました。そんな彼らの労に報いたのが、ウッドワード家でのディナーと、学問や世界情勢についてのレベルの高い議論でした。中国の古脊椎動物学の父として知られるＣ・Ｃ・ヤンこと楊 鍾 健や、今も学生たちに使われている有名な解剖学教科書の著者アルフレッド・ローマー〔米国の古生物学者〕はその一例です〔日本の水産学者、岸 上 鎌吉のサインも見えます〕。オスニエル・Ｃ・マーシュ〔米国の古生物学者〕はデザートを食べながら、北米の恐竜の骨をどちらが多く発見できるかをライバルのエドワード・コープと競いあった「化石戦争」の話でもしたのでしょうか？

マンモスの頭骨

　これは、イギリスで見つかったステップマンモス（*Mammuthus trogontherii*）の唯一の完全な頭骨です。なんという頭骨！　この頭骨につながる体は大きなゾウと同じくらいですが、頭骨の前に伸びる恐ろしい牙は２メートルもの長さがあります。自然史博物館の所蔵品のなかでも、目で見た時に受けるインパクトの大きさでは指折りの標本であることは間違いありません。1864年に自然史博物館の脊椎動物化石担当学芸員が、これを掘り出す手伝いをするためにイングランドはエセックスのイルフォードに呼び寄せられました。巨大な頭骨は、驚くべきことに手つかずのまま、粘土と砂利の採掘地の底５メートルほどのところに埋まっていました。現生のゾウで知られているように、マンモスも仲間の死骸の骨を移動させる習性があったようです。手つかずで産出したのはこの個体が川に落ちて死ぬなどして、死後間もなく自然に埋まったためでしょう。頭骨は当初はケナガマンモスのものと考えられましたが、その後、特に歯の特徴からそうではないことが判明しました。ケナガマンモスの歯は氷河期の環境に適応していて、硬い草などの植物をすりつぶして食べるためにエナメル質で覆われた 隆 線 が多数あります。しかしこの標本の歯は隆線が少なめで、木や灌木も食べていたことを示しているのです。ステップマンモスは20万年ほど前の比較的温暖な間氷期に生息した動物で、氷河期のケナガマンモスよりは毛が少なかったと考えられています。

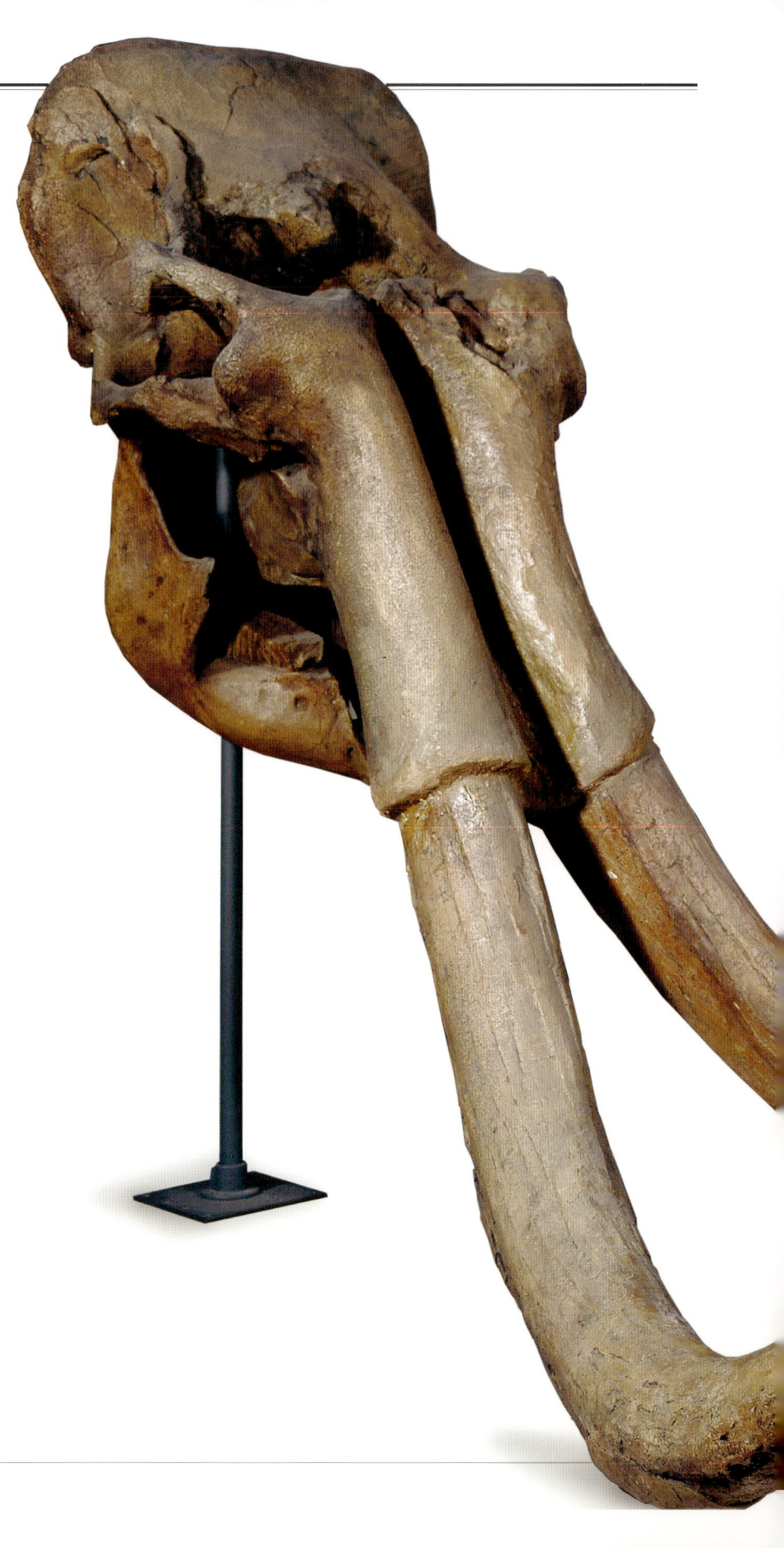

コビトゾウの歯

　通常サイズの古代ゾウの歯（左）と並べて置かれたこのコビトゾウの歯は、1901年頃にドロシア・ベイト（1878-1951）によって発見されました。ベイトは勇猛果敢かつ練達の古生物学者で、博物館のコレクションに多くの標本を提供してくれた女性です。当時の学問の世界には性差別がはびこっていて、1928年までは女性が博物館の職に応募することさえ許されませんでした。しかしベイトは帽子とスカート姿で、男性を連れずにキプロス、クレタ、マルタ、シチリアの辺鄙な地に赴き、そこの石灰岩洞窟の最初の発掘者になりました。彼女の努力は、他では見られない50万年前の小型のゾウやカバやシカの遺骸がそうした洞窟から発見されたことで報われました。科学者の間ではその頃すでに、島嶼矮化、つまり「島では大型動物が食物不足と天敵である捕食者の不在によって小型化していく」という法則が知られていましたが、彼女の発見はそれを裏付ける豊富なデータを提供することができたのです。右側の小さい歯の持ち主だった生き物は大型犬ほどのサイズですが、祖先（左）は体重10トンの巨体でした。写真の2つの歯の形がそっくりで、それでいて大きさは驚くほど違うことに注目して下さい。左の古代ゾウの歯は長さ40センチ、右のコビトゾウの歯は12センチです。

「コッホのマストドン」の下顎

　1841年、ロンドンにアメリカからやってきた驚異の移動展覧会は、この写真の標本やその他の大きな骨を見ようとする人々でごった返しました。展示された巨大な頭骨や顎や体部の骨はいずれもゾウと近縁の絶滅生物〔マストドンと総称されます〕のものです。前年にミズーリ州のポム・ド・テール川のそばでそれらを発掘したセントルイス博物館のアルバート・コッホは、化石が大衆に大受けするだろうことをすぐに見抜きました。発掘が終わると彼は骨をルイビルに運び、それらを中核として体高4メートル以上にもなる全身骨格を作りました。ミズーリにちなんでミッソウリウム・テリストロカウロドン（*Missourium theristrocaulodon*）と名付けられたその骨格は、複数の個体の骨を組み合わせてあり、本来あるべき姿より大きく作られていたのですが、何千何万という見物人を引き寄せました。そして移動展覧会はこれ以上ないタイミングでロンドンにやってきました。ちょうどその1ヵ月前にリチャード・オーウェンが巨大な骨の化石の発見を踏まえて恐竜という分類群名を発表したばかりで、巨大な骨化石がブームだったのです。展覧会はピカデリーで18ヵ月間、朝の9時から夜10時まで開催されました。その後はヨーロッパを巡回する予定でしたが、この骨化石に注目した大英博物館が展覧会ごと2000ドルで買い取り、かくしてマストドンの骨はいま、サウスケンジントンの自然史博物館のいくつかの収納棚を埋めています。

最古の昆虫化石

　この化石はこれまで見つかったなかで最も古い昆虫で、約4億年前の岩の中で保存されていました。長い間、所蔵はされていても顧みられることがありませんでしたが、実は翅（はね）のある昆虫が従来考えられていたより8000万年も前から飛び回っていたことを明らかにしたのはこの標本なのです。

　動物が、化石化に適した場所で適した時に死ぬことはまれです。しかし、ほんの一部だけが保存されている場合でも、経験を積んだ目で見れば、多くを読み取れます。写真の標本は1928年にリニオグナタ・ヒルスティ（*Rhyniognatha hirsti*）という昆虫の顎であると同定されましたが、その後この部分標本はほとんど無視されていました。70年以上がたった2002年にふたりのアメリカ人研究者が昆虫化石コレクションの調査に訪れて、初めて真の価値が認められることになります。彼らはこの顎が、翅のある昆虫にしか見られないような、非常に進化の進んだものであることを発見したのです。それまで最古の飛翔昆虫として知られていたのは、およそ3億2000万年前の化石でした。ところが、この標本は翅などまったく伴っていないにもかかわらず、顎だけで昆虫の進化史を書き換えるのに十分な証拠になったのです。

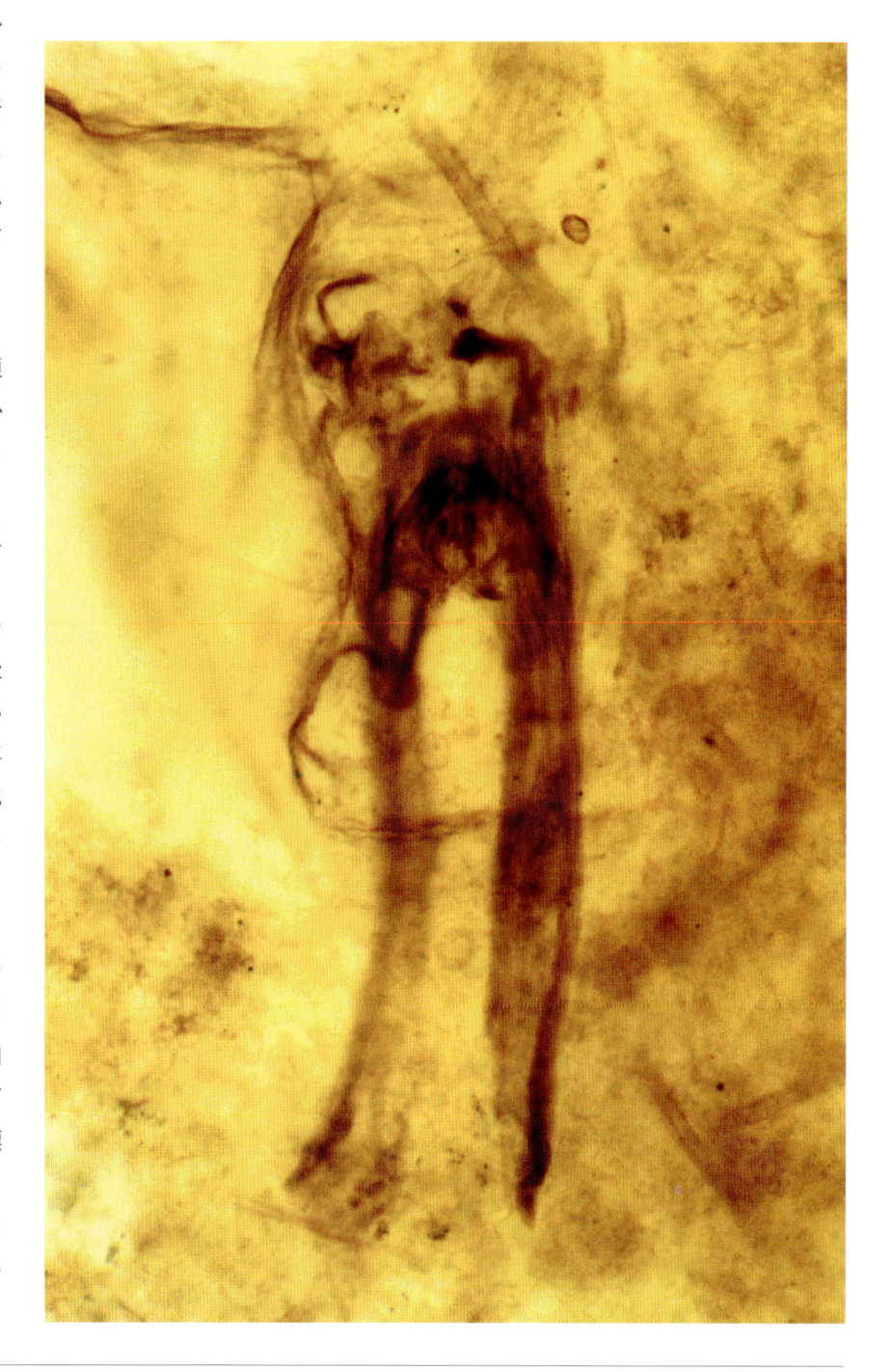

バルト海の琥珀（こはく）の中の虫

長さ2センチを超えるこの昆虫は、自然史博物館が所蔵する琥珀に閉じ込められて保存された昆虫標本の中で最大であるだけでなく、この昆虫種の唯一の例です。そのうえ、これが何なのかが同定されるまでには、100年以上の歳月と熱心な研究者の存在が必要でした。この昆虫は1892年に、バルト海沿岸に拠点を置く琥珀採掘会社「シュタンティエン＆ベッカー」から自然史博物館にやってきました（同社は、琥珀と琥珀油をボートのワニスや化粧品やはんだ付け用などとして産業界に供給する商売をするかたわら、琥珀博物館を運営していました）。1957年に初めてこの琥珀の中の虫の研究が行われ、ヘビトンボ亜目（あもく）の1種だというところまで同定されました。ヘビトンボ亜目には現在2

つしか科がなく、2000年になってようやく、この標本がそのどちらに属するかが決められました。しかしその数年後に、ある大学生が研究テーマにこの虫を選び、状況は一変します。1年にわたって、翅脈のパターンから小さな肢の構造までのあらゆる細部を入念に調べたその学生は、これが現生のどの昆虫とも大きく異なっていることに気付いたのです。専門家たちも、この虫が現存のヘビトンボ亜目の2つの科との共通性を多く備えながらも、3つめの完全に独立した科に属するとすべきほどに違いがあることを認めました。この昆虫には、コリダシアリス・インエクスペクタトゥス（*Corydasialis inexpectatus*）という名が与えられました。

グリプトドン

　ゾウの赤ちゃんよりも大きなグリプトドン・クラヴィペス（*Glyptodon clavipes*）は、巨大なドーム形をした骨質の甲羅を持っており、氷河期の哺乳類のなかで最も堅固な装甲を誇ります。現生のアルマジロの親戚にあたるこの大型動物は成長すると頭から尾までの長さが3メートルほどになり、この標本も全長は3メートルあります。米国南部からメキシコにかけての湿潤な沼地の周辺をゆっくりと歩き回り、泥浴びをし、植物を食べて暮らしていたようですが、1万年ほど前に絶滅しました。最大の特徴はやはり甲羅で、およそ2000個ほどの小さな板状の骨で構成されています。板状の骨の厚さは約3センチ、それらがしっかりと融合して、敵を寄せ付けない驚異の防御力を生み出していました。甲羅だけで防ぎきれない捕食者が相手の場合には、こん棒のような尾を一振りすれば、敵は引き下がったことでしょう。グリプトドンはアルマジロのように丸まることはできませんが、小さな頭を甲羅の中にひっこめさえすれば、どんな攻撃も完全に防ぐ難攻不落の要塞と化すことができました。

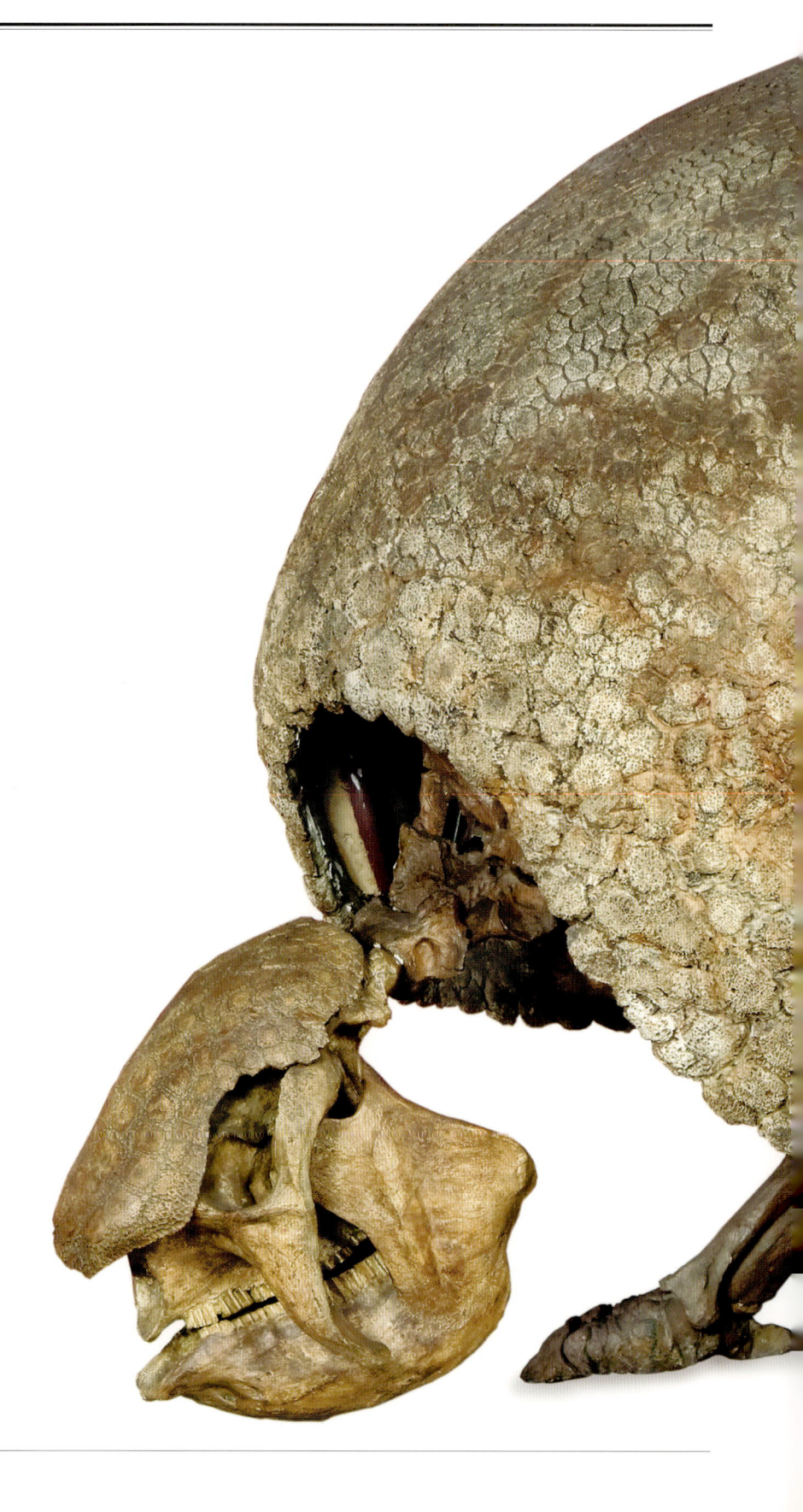

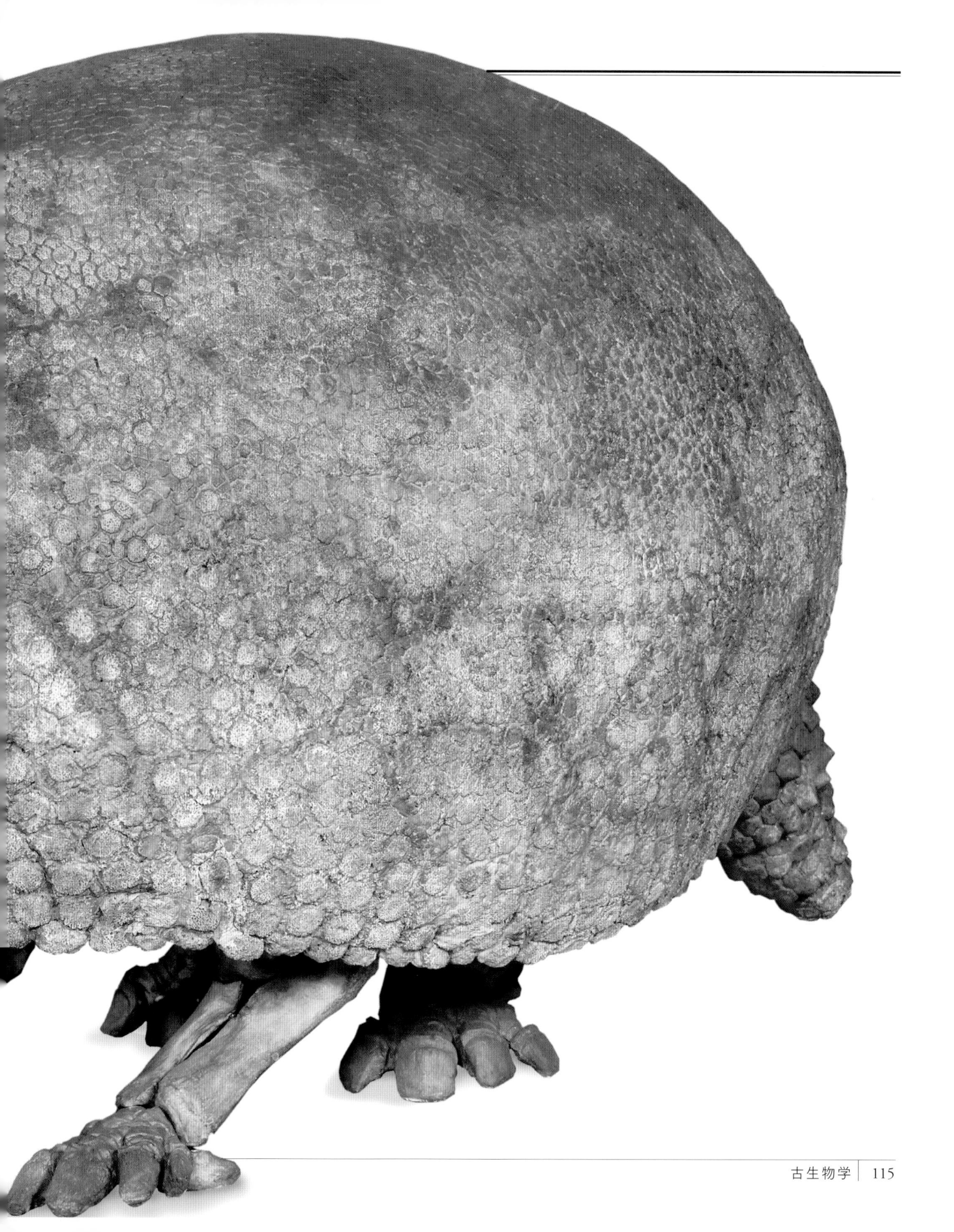

最古のカニの化石

　長さ３センチ、親指の爪より少し大きいくらいのこの化石は、これまで見つかったなかで最も古いカニ —— エオカルキヌス属のうちの１種（*Eocarcinus* sp.）—— の化石です。19世紀にイングランドのグロスターシャーで発見されたもので、このカニが生きていた１億8000万年前、イングランド南部のそのあたりは浅い海でした。１億8000万年というとかなり古く感じられるかもしれませんが、他の動物と比べるとカニが化石記録に現れるのは比較的遅いのです。カニが属しているのは節足動物門という非常に大きなグループで、この門には昆虫、クモ、甲殻類なども含まれ、体が体節に分かれているという共通の特徴を持っています。節足動物の化石は５億5000万年前の地層からも見つかっており、カニはそれから３億5000万年ほど遅れて、エビのような形の生物から進化しました。最初期のカニはごく小さかったのですが、現存する最大のカニであるタカアシガニは体だけでディナー用の大皿を覆い隠すほどで、脚の長さは２メートル近くあります。

カブトガニの化石

　カブトガニ科メソリムルス属(*Mesolimulus*)のこの化石は全長がおよそ40センチ、ネコと同じくらいの堂々たるサイズです。甲羅で覆われた体の細かい部分までが、潟湖の粒子の細かい泥で非常に美しく保存されています。約1億5000万年前のもので、ドイツのゾルンホーフェンで発見されました。ゾルンホーフェン地域は世界的に有名な化石がいくつも産出した場所で、たとえば、自然史博物館の最も貴重な標本である始祖鳥――最初の鳥類――の化石〔84ページ〕もここから出ています。この地域で発見される化石は、細粒で均質な淡黄色の石灰岩に細部まで申し分ない状態で保存されているので、一目見ただけでゾルンホーフェン産とわかります。カブトガニの仲間は4億7000万年前から、言い換えれば恐竜よりもずっと前から、現在までずっと生息しています。最も古い時代の種は、わずか1センチから5センチ程度しかありません。古代からあまり変わらぬ外見を持ち、長い進化の歴史を経て今に至る現在のカブトガニは、「生きた化石」と呼ばれます。現存するのは4種で、日本、東南アジア、アメリカ東部と中部に生息しています。

眼が上に突き出た三葉虫

　三葉虫のうちでも一風変わったこのエルベノキレ属
（*Erbenochile*）は、全身の標本が数点しか発見されてい
ません。最も有名なのが、モロッコのアトラス山脈で見つ
かった化石です。写真の化石はクルミくらいの大きさで、
2002年に自然史博物館が化石商から購入しました。この
標本を岩石の中から掘り出す作業は、顕微鏡で見ながら空
気圧で作動する研削器とドリルを使って丹念に行う必要が
あり、信じられないほどの技術と忍耐力が必要でした。ト
ゲの多くはまず1本1本取り外し、まわりの石をすべて取
り除いてから、もとの位置に注意深く接着しなおさなけれ

ばなりませんでした。

　三葉虫は、3億年前に古代の海で栄えた捕食者です。彼
らは最も早い時期に複雑な眼のシステムを発達させた生物
のひとつで、エルベノキレはそのなかでも特に珍しい例で
す。頭の両側に塔のように立っているのは大きな眼で、何
百個もの小さなレンズが集まって構成されており、360度
をぐるりと見渡すことができました。塔のてっぺんがひさ
しのように張り出しているのはおそらくある種の日よけと
思われ、この生物が昼間に活発に活動していた可能性があ
ることを示唆しています。

三葉虫のブローチ

　このヴィクトリア朝の珍奇なブローチはある名家に家宝として伝わっていたもので、磨きあげられた三葉虫の化石が金の座金に固定されています。1960年にE・ベッグという女性から自然史博物館に寄贈されました。化石の装身具は"通好みの品"ですが、19世紀半ばには大いに流行しました。月並みなダイヤモンドや真珠よりも、絶滅した4億2500万年前の節足動物の方が人々の注目を集めたのでしょう。自然史博物館のコレクションには数百点の三葉虫標本がありますが、宝飾品に加工されているのはこの1点だけです。ただ、三葉虫の装身具は北米先住民の世界にも存在しています。彼らの伝説によれば、三葉虫を身につけるとジフテリアや咽頭炎やその他の病気が治り、また、矢や弾丸が当たるのを防いでくれるということです。三葉虫は現在の節足動物と同様に硬い外殻に覆われており、成長に従って時々脱皮しました。今のカブトガニの遠縁にあたる三葉虫には何千もの種があり、大部分は海底をはいまわっていましたが、プランクトンに混じって海中を漂っていたものや、活発に泳いでいたものもいました。写真のブローチの三葉虫はカリメネ・ブルメンバキイ（*Calymene blumenbachii*）という種で、イングランドのウェスト・ミッドランズ州ダドリーの石灰岩層から発見されました。

オオツノジカの枝角

　巨大な枝角は、絶滅した史上最大のシカであるオオツノジカ（*Megaloceros giganteus*）のものです。差し渡し3メートル半、重さはなんと40キログラムもあります。アイリッシュエルクとも呼ばれるこの動物は、8000年ほど前に絶滅するまで、ヨーロッパから西アジアにかけて生息していました。成長すると肩高が2メートルにもなりましたから、圧倒的な存在感を放っていたことでしょう。人間の狩りの獲物になったことと、氷河期の終わりの気候変動とによって姿を消したと考えられています。現生のシカと同様、枝角が生えるのはオスだけです。枝角は頭骨から伸び、毎年落ちて生え替わり、年ごとに大きくなっていきます。枝角という武器を作るには非常に多くのエネルギーがいるので、オオツノジカは骨を成長させるために石灰岩質の丘陵地帯でカルシウムの豊富な植物を食べていました。オオツノジカの化石の大部分はアイルランドの泥炭湿地で発見されるため、この標本のように泥炭でまっ黒に染まっています。近年の研究で化石から微量のDNAを採取することに成功し、分析の結果オオツノジカは現在のダマジカと近縁関係にあることが判明しました。

マダガスカルのキツネザル

マダガスカルのキツネザルはその驚くべき多様性で有名であると同時に、近年の悲劇的な絶滅によっても知られています。この2000年間で少なくとも17種が絶滅しました。そのなかにはチンパンジーくらいの大きさのパレオプロピテクスや、ゴリラ並みに大きなメガラダピスも含まれます。霊長類の1グループであるキツネザルは、現在は50種が生息しています。ハツカネズミほどのサイズの種から人間の1歳児くらいの大きさの種までありますが、どの種も人間による狩猟と生息環境の破壊によって生存が脅かされています。アフリカの沖合に浮かぶマダガスカルにキツネザルが初めて到着したのはおよそ6000万年前でした。アフリカから泳いで渡るには距離がありすぎるので、天然のいかだに乗って偶然たどりついたのだろうと考えられています。最初に上陸したキツネザルたちは小型でごく少数だったでしょうが、ひとたびマダガスカルを住みかとしたのちは、競争相手も捕食者もわずかしかいない島の環境の中で大型化し、数が増え、利用できる生態学的ニッチに行き渡りました。変化が起こったのは約2000年前に人間がやってきさてからです。体が大きいほど生息環境の喪失に弱いうえ、狩りの獲物になりやすく、繁殖に時間もかかるので、大型のキツネザルがまず最初に消えていきました。写真の大きい頭骨はメガラダピスのもので長さは32センチ、小さい頭骨はネズミキツネザルのもので長さは3.4センチです。

絶滅したナマケモノの皮と下顎骨

　この珍しいナマケモノの毛皮標本は、チリの洞窟で1900年代初めに発見されました。同種の標本としては最も状態が良く、まるで昨日獲ってきたばかりのように見えるため、生きているこの動物を見つけようとする人々も出たほどです。しかし実際にはこの毛皮の主は1万3000年前に死んでおり、乾燥した冷たい空気の力で、皮という柔らかく傷つきやすい体組織がたちまち干物のような遺物へと変化し、こんにちまで残っているのです。たいていの場合、皮やその他の軟組織は腐ってしまい、骨と歯だけが残ります。一方、右の写真は同様に絶滅した地上性ナマケモノの下顎骨で、ビーグル号の調査隊がアルゼンチンに立ち寄った際にダーウィンが収集して持ち帰ったものです。本書の多くの化石と同じく、この下顎も最初に公式記録を作

ったのは偉大な科学者にして自然史博物館初代館長のリチャード・オーウェンでした。オーウェンはダーウィンに敬意を表してこれをミロドン・ダルウィニイ（*Mylodon darwinii*）と命名しました。この下顎骨は、第2次世界大戦中に王立外科医学院の地下所蔵庫が爆撃で破壊された時に焼失を免れた数少ない標本のひとつという逸話も持っています。下顎の持ち主だった巨大な地上性ナマケモノはゴリラよりも大きく、体重は1トン前後もありました。もっと小型で今もなお生き残っているナマケモノとは違い、彼らは樹上生活をするには重すぎたので、食糧になる植物を求めて地上を歩き回っていました。この地上性ナマケモノは多くの化石が残っていて研究されています。そのほとんどは骨ですが、化石化した糞もあります。

繊細なガラス海綿

　ドイツのハノーファーの近くで発見されたガラス海綿の1種カリプテラ・テヌイッシマ（*Calyptrella tenuissima*）の化石。実際の標本の大きさは3センチ×2.5センチで、あまりに繊細なので学芸員や研究者でさえ触ることがはばかられるほどです。このカイメンは8000万年ほど前に海底で死に、堆積物に埋まった後もその形状をとどめることができました。通常は、こうした繊細な生き物が死ぬと針のようなシリカ（ケイ酸）の骨格はバラバラになって海底

の堆積物の一部と化したり、溶解した後に再結晶して石灰岩中で珪質の塊になったりします。しかしこの標本のカイメンは、壊れも溶けもせずに繊細な網目状の骨格がそのまま保存されました。カイメンの化石は白亜紀後期の海成堆積物によく含まれています。英仏海峡に面したイギリスの"ドーバーの白い崖"を作っている白亜（石膏）も、白亜紀後期の海の生物の遺骸が降り積もってできたものです。

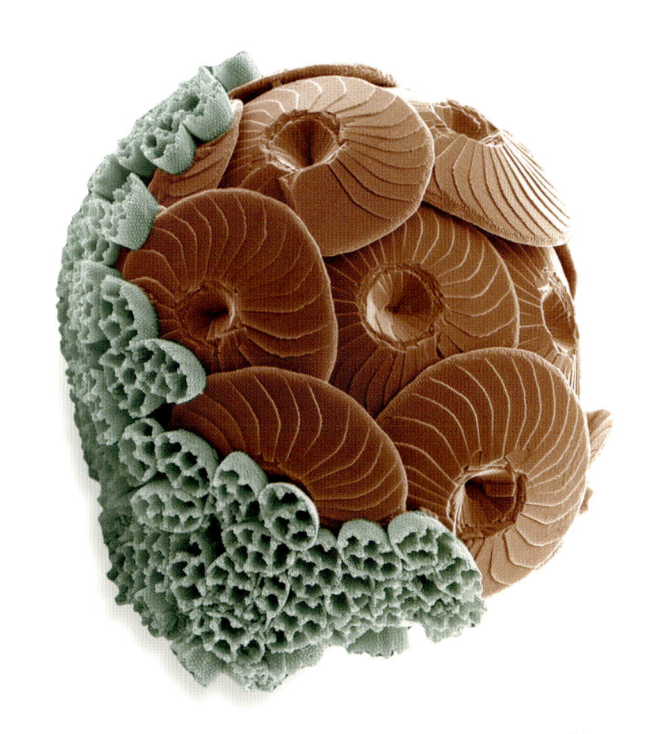

円石

　思わず目が釘付けになるこの写真は、走査電子顕微鏡を使って撮影されました。円^{えん}石藻^{せきそう}という小さな海生の単細胞藻類の複雑な構造がわかる、めったに見られない画像です。電子顕微鏡写真は白黒ですが、細胞表面を覆う石灰質の装甲（円石）をはじめとする特徴がわかりやすいように、CG（コンピューターグラフィックス）で着色されています〔実際にこういう色をしているわけではありません〕。この標本はカルキディスクス・クァドリペルフォラトゥス（*Calcidiscus quadriperforatus*）という種で、この例では1個の細胞が形の異なる2種類の円石を持っています。

　円石藻が他の生き物に食べられても円石は消化されずに糞と一緒に排出され、海底に沈んで堆積し、石灰岩層を形成します。イングランド南岸の有名なドーバーの白い崖の白亜は、ほぼすべて白亜紀後期（約1億年前から6600万年前まで）に堆積した円石でできています。円石藻は植物プランクトンの主要グループのひとつで、海洋表面水には1リットル当たり数千の円石藻が生息しています。植物プランクトンは目に見えないほど小さいのですが、海洋の食物連鎖の土台であり、海のあらゆる生き物は植物プランクトンのおかげで生きています。また、光合成を行う際に二酸化炭素を吸収するので、二酸化炭素濃度の上昇による気候変動を研究するうえでも大きな意味を持っています。

Entomology

昆虫学

アカメガネアゲハ

　この華麗なチョウは、輝く炎のような翅(はね)によってだけでなく、最初に採集して記録したのがアルノレッド・ラッセル・ウォレス〔47、167ページ〕だという理由からも、高い価値を持っています。ウォレスはダーウィンとは別に、独自に自然選択による進化という理論を組み立てた人物として知られています。彼がその理論を思いついたきっかけのひとつは、各地を旅し

ては採集した昆虫、鳥、その他の動物のあいだに信じられないほどのバリエーションがあることでした。彼が収集した何千もの動物標本の多くが、自然史博物館に所蔵されています。近年そこに、28個の標本箱に収められた850点のチョウ、甲虫、ナナフシ、ハサミムシ、ハチその他のコレクション（左ページ）が加わりました。それらの標本は、ウォレスが自ら並べてピンで固定した時のままの状態を保っています。上の写真の美麗なアカメガネアゲハ（*Ornithoptera croesus*）は、彼のコレクションのなかでも特に有名です。ウォレスは8年にわたるマレー諸島での

探検旅行の途中、1859年にインドネシアのバチャン島で翅開長14センチのこのチョウを捕まえました。彼は昆虫の生態や種類を冷静に観察するタイプではなく、昆虫に熱中して夢中になる人物でした。著書『マレー諸島』には、このオスのアカメガネアゲハを捕まえた時のことがこう記されています。「（…）網から取り出してうるわしき翅を広げると、胸の動悸が急に激しくなり、頭の中を血が駆けめぐった。（…）あまりに興奮が大きすぎて、その日はそのあとずっと頭痛がしっぱなしだった（…）」。

シタバチ

　シタバチは自然史博物館の昆虫コレクションの中でも屈指の美しさです。シタバチの仲間は、多くの種が、緑がかった玉虫色の鮮やかな輝きを放ちます。このハチは中南米の熱帯地方に生息し、英語ではorchid bee（蘭のハチ）と呼ばれますが、ランだけでなくさまざまな花の蜜や花粉を食べて生きています。シタバチには2種類の形態があり、両者は生態がまったく異なります。片方のグループは（マルハナバチと同じように）身体が毛に覆われていて、樹脂や樹皮や泥で巣を作り、その中に食料を保管します。彼らは巣の小部屋に卵を産み、たくわえた食物で幼虫を養います。もうひとつのグループは性悪で、毛を失ったかわりに硬い装甲に身を包み、自分たちで巣を作る習慣も捨てて、別のグループのシタバチの巣に忍び込んで卵を産みつけ、幼虫を育てさせるのです。硬い装甲は、この寄生作戦の最中に巣の持ち主のハチに見つかっても刺されないための防御用の鎧というわけです。他のハナバチと同様に、シタバチも植物の花粉を運ぶ重要な役目を果たしています。たとえば、シタバチのうちの1種はブラジルナッツの主要な送粉者です。

コガシラクワガタ

　コガシラクワガタ（*Chiasognathus granti*）はチリとアルゼンチンに広く分布する虫で、英語ではReindeer beetle（トナカイ甲虫）というクリスマスに空を飛びそうな華やかな名前で呼ばれることもあります。その名の由来は枝角のような形の顎で、体と同じくらいの長さがあります。この虫は、自然史博物館が所蔵する約4万5000点のクワガタムシ標本のひとつです。クワガタたちはどれもていねいに虫ピンで留められてグループ分けした標本箱に収められ、その標本箱がいくつも重ねられて、ずらりと並ぶ戸棚に収納されています。チャールズ・ダーウィンが南米で採集したクワガタも12点あり、ダーウィンは『人間の由来』の中でそれらを「力強い昆虫」と呼んでいます。しかし、コガシラクワガタは一見すると強烈な噛みつきができそうな顎を持っているにもかかわらず、内歯〔顎の内側にあるギザギザ〕は貧弱です。オスはこの顎を主にディスプレイ〔求愛や示威のためポーズを取ること〕や1対1での対決の際に使います。競争相手のオスを押しのけたり、はさんで持ち上げてひっくり返すことさえやってのけます。ただ、成虫はくわしく研究されているものの、腐りかけた木を食べて育つ、大きなCの字形をしたクリーム色の幼虫についてはよくわかっていません。

　イギリスにいるクワガタは3種で、最大のものは主にイングランド南部と南東部、特にロンドンのリッチモンド公園内とその周辺やウィンブルドン・コモンで見られます〔日本には約40種が生息しています〕。

ジョン・ラボック卿のペット

　これはアシナガバチの1種でポリステス・ビグルミス（*Polistes biglumis*）というカリバチです。この標本の個体には、サー・ジョン・ラボック（1834−1913）との珠玉のエピソードがあります。ラボックは1872年の英国学術協会の年次会合でこのハチを紹介し、いかにして彼が刺されることなくこのハチに餌をやり、背中をなでられるようになったかを報告しました。ラボックはピレネー山脈でこのハチを捕まえてからハチが死ぬまで、10ヵ月間ペットとして飼育したのです。彼が語るハチの最期の物語は、感動的ですらあります。「ある日私は、彼女が触角をほとんど動かせなくなったのに気付いた。体の他の部分は、それまで通りだった。彼女は食べ物を受けつけなかった。翌日、私は再び餌を食べさせようとしたが、彼女の頭は死んだように動かなくなっていた。それでも肢や翅や腹は動かせた。次の日、餌を食べさせようと最後のこころみを行った。彼女は、頭も胸も死んでいるか麻痺しているかのどちらかだったからだ。ただ、まるで感謝と愛情を示してでもいるかのように、命の最後のしるしとして尾だけを動かしてみせた。私が見るかぎり、彼女は痛みを感じずに逝った。そして彼女は今、この博物館に安住の地を得たのである」。この逸話のような風変わりな一面も持っていたものの、ラボックは尊敬される科学者であり、文筆家、銀行家、自由党の政治家でもありました。政治家としての彼は労働法を改正し、法定休日法、野鳥保護法、公共図書館法などを導入したことで知られます。

山高帽の中のスズメバチの巣

　スズメバチが巣を作るのに、山高帽の中ほどしゃれた場所があるでしょうか。ウォルター・ロスチャイルド卿〔イギリスの銀行家、動物学者、ロスチャイルド財閥の一員〕がイングランド南東部ハートフォードシャーのトリングに所有する地所の納屋で見つかったこの帽子は、おそらく庭師が冬の間に置き忘れたもので、今では自然史博物館のコレクションのひとつになっています。野生生物を愛したロスチャイルドは、この珍客を歓迎したに違いありません。彼の幅広い自然史コレクションを収めた私設博物館は、1937年に大英自然史博物館のトリング館〔ウォルター・ロスチャイルド動物学博物館〕になりました。

　巣を作ったのはキオビクロスズメバチ（*Vespula vulgaris*）です。このハチの女王バチは、安全な空洞を探して巣作りをします。普通は、ネズミが放棄した巣穴や木の根元のうろなどを選んで地下に巣を作るのですが、3月のある日にロスチャイルド家の納屋に入り込んだ1匹の女王バチは、上向きに置かれた山高帽を見つけました。彼女はまず木をかみ砕いてパルプ状にしたもので小部屋をいくつか作り、それを何層も重ねていきました。小部屋に産卵したら6月の孵化を待ち、昆虫をとらえては生まれた幼虫に食べさせて、第一世代の子を育てました。やがて羽化した子供たちが巣の拡張を担い、彼女は産卵に専念します。このいとなみは寒い季節が訪れるまで続けられ、そして、〔冬に次の女王候補が巣立つと〕ハチたちは寿命を迎えて巣はもぬけの殻になったのです。

枝角を持つハエ

　パプアニューギニアは、思わず見とれてしまう奇妙な野生生物の宝庫として知られています。シカヅノバエ〔英語ではantlered flies〕と呼ばれるミバエの1グループもその宝物のひとつで、オスの頭部にはなんとも変わった形をしたツノのような突起があります。"枝角"の形は8つの種ごとに違い、ここにはそのうち3種の写真を載せました。上からフィタルミア・アルキコルニス（*Phytalmia alcicornis*）、フィタルミア・ビアルマタ（*Phytalmia biarmata*）、フィタルミア・ケルヴィコルニス（*Phytalmia cervicornis*）です。細長くて枝分かれしているものもあれば、ヘラジカの角のような幅の広いものもあります。

　枝角に見えるのはキチン質の外骨格で、オスはこれを使ってなわばりを守ります。ただし、そう聞いてたいていの人が思い浮かべるような使い方はしません。発情期の牡ジカが角を突き合わせてケンカするのとは違い、このハエのオスはまず互いに向きあい、枝角をゆっくりとひねったり回したりしながら、退かなければ攻撃をするぞと脅すさまざまな威嚇ポーズを取ります。それでも双方が引き下がらなければ、そこではじめて直接攻撃が始まるのです。勝ったオスは繁殖に最適な場所を確保できるので、交尾相手のメスを見つけて自分の遺伝子を次世代に残すチャンスが増えます。

眼が飛び出したハエ

アキアス・ロトスキルディ（*Achias rothschildi*）というこのハエは、長い柄の先に眼がついているので、英語ではstalk-eyed fly（柄付きの眼のハエ）と呼ばれます。オスだけが柄のある眼を持ち、柄の長さはまちまちで、両眼の距離は2〜5センチです（写真の標本はおよそ5センチ）。奇妙な形を持つ生物がすべてそうであるように、この柄もおそらく理由があってこのように進化したのでしょう。一番考えられるのは、柄の長さがオス同士の間での序列を示し、長い個体ほど優位でなわばりを作りやすく、メスにとっても魅力的だという理由です。この種は、1910年に大英博物館の昆虫学者アーネスト・エドワード・オースティンがロスチャイルド卿〔135ページ参照〕のコレクションの中で発見し、最初に報告しました。種小名はロスチャイルド（Rothschild）に由来します。このハエや、近縁の数種の"柄の先に眼を持つ"ハエは、奇妙で美しい生物の宝庫であるパプアニューギニアに生息しています。オーストラリア大陸からもアジア大陸からも隔絶されたパプアニューギニアは、固有種の宝庫です。

ノミ人形

19世紀の珍品奇品のなかで最も人気の高いもののひとつが、下の写真のような、服を着たノミです。といってもノミ──おそらくヒトノミ（*Pulex irritans*）──は頭部だけで、端切れや紙で作られた服に接着されています。こういうものを作る風習がどこで始まったのかは不明ですが、ノミ人形は珍しい土産物として作られ、販売されていました。修道女たちがさまざまなミニチュアを作ったことはよく知られているので、これも修道院で生まれたのかもしれません。"身長"が5ミリにも満たない人形は、作り手がおそらく拡大鏡のたぐいをまったく使わず、昼は日光の下で、夜であればランプかロウソクの灯りをたよりに手作りしたものだと考えると、余計に目を見張らずにはいられません。写真の人形はメキシコで作られたとみられ、世界的なノミの権威だったチャールズ・ロスチャイルドに贈られた12体のうちの2体です。チャールズはウォルター・ロスチャイルド〔135ページ〕の弟で、この2体の人形は、ウォルターの自然史コレクションを受け継いだ自然史博物館トリング館に所蔵されています。サウスケンジントンの自然史博物館には、マリアッチ・バンドを従えた結婚披露パーティーの場面を描いたノミ人形セットがあります。

マルガタクワガタ

　この珍しいクワガタは、南アフリカの西ケープ州の高山の頂上付近にだけ生息しています。マルガタクワガタ属は17種が確認されていますが、すべて絶滅が危惧されており、特にこの写真のプリモスマルガタクワガタ（*Colophon primosi*）は危機に瀕しています。動きがのろくて空も飛べないマルガタクワガタの仲間は、他の昆虫と違って別の場所へ移ることが難しいため、生息地の環境破壊や気候変動にとりわけ弱いのです。人間による乱獲も彼らにとっては大きな打撃で、現在はマルガタクワガタを不法に採集する者は厳罰に処せられます。

　マルガタクワガタ属の学名である*Colophon*は、頂上や頂点をあらわすギリシャ語のkolophonに由来します。驚くべきことに、それぞれの種は特定の山脈や特定の山頂部にのみ生育し、あまりに孤立しているため、野生のマルガタクワガタを目撃したことのある昆虫学者はごくわずかしかいません。幼虫についてはほとんど何もわかっておらず、何を食べているかも不明です。かつて、マルガタクワガタは昆虫商の間で非常な高値で取引されました。ヨーロッパのある販売業者がプリモスマルガタクワガタの標本1点に3000ポンド近い値をつけたことがあり、それによってこのクワガタは世界一高価な昆虫のひとつとなりました。

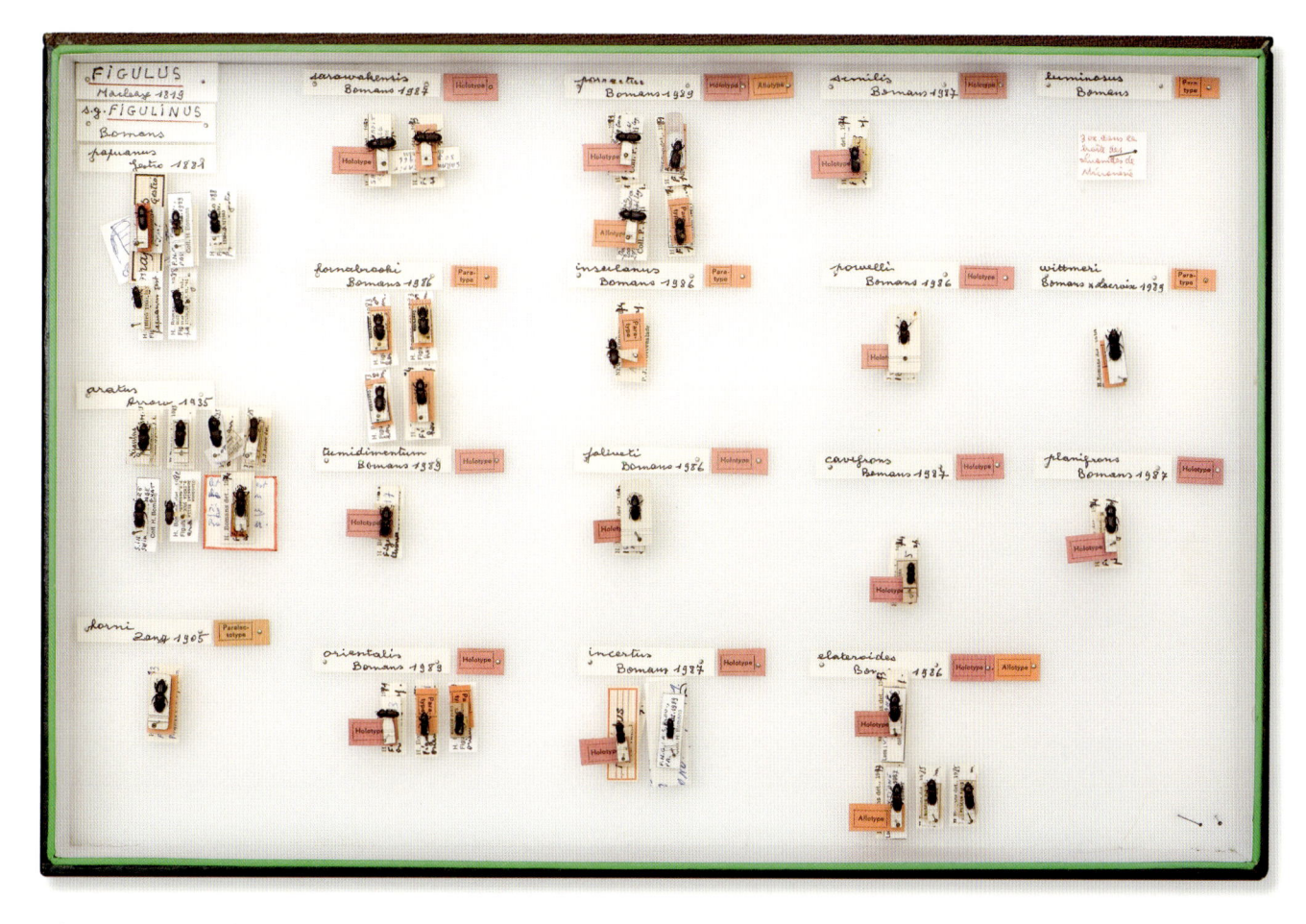

ボマンのクワガタムシ・コレクション

　フランスの昆虫学者ユーグ・ボマンが集めた3万2000匹ものクワガタムシのコレクションは驚異的としか言いようがありません。おそらくアマチュアが収集したものとしては世界で最も包括的なクワガタムシ・コレクションでしょう。ボマンは40年間にわたってクワガタムシを買ったり交換したりして、指の爪より小さい標本から片手と同じくらい大きな標本までをそろえました。入手した標本は、ガラスの蓋の付いた標本箱に注意深く並べ、標本ラベルを書き、グループ分けし、多くの新種に自ら命名もしました。しかし高齢になり視力も衰えたことから、彼は1999年にコレクションをオークションにかけ、どこかの国の国立博物館が購入して世界中のクワガタムシ研究者が広く利用できるようにしてほしいと希望したのです。大英自然史博物館がヨーロッパの他の博物館や個人収集家との熾烈な競り合いに勝って数万ポンドでこのコレクションを落札し、ボマンの願いはかなえられました。

世界最大のハエ

体長6センチ、ドアの鍵と同じくらいのサイズのこの虫は、知られている限り世界最大のハエです。名前はガウロミダス・ヘロス（*Gauromydas heros*）、ブラジルにのみ生息し、先が細くなった黒い体は一見するとカリバチの仲間によく似ていますが、翅が1対しかありません（カリバチの翅は2対です）。カリバチに似ているのは、身を守るためかもしれません。このハエと似たオオベッコウバチというカリバチは、刺されると非常に痛いのです（ちなみにオオベッコウバチは英語でタランチュラ・ホークと呼ばれ、毒グモのタランチュラを狩ります）。ガウロミダス・ヘロスは無害ですが、恐ろしい"そっくりさん"に間違われることを利用しているのでしょう。ドイツ人博物学者マクシミリアン・ペルティがこのハエを発見したのは2世紀近く前の1833年ですが、いまだに生態はほとんど知られていません。わかっているのは、生育期の大部分を幼虫（蛆虫）として過ごし、土の中で暮らして、おそらく他の地虫（甲虫の幼虫など）を貪欲に食べているということくらいです。蛹（さなぎ）の段階を経て羽化した成虫は数日しか生きられず、交尾という主目的の達成を懸命に目指します。成虫は巨大な体にもかかわらずほとんど食事をせず、花蜜を吸ったり少量の花粉を食べたりする程度です。メスに至っては、何も食べずに腹にたくわえた脂肪分で生きている可能性があります。

翅のないハエ

下の写真の標本は、クモかと思う人もいるかもしれませんが、実はモルモトミュイア科という翅のないハエの科の唯一のメンバーで、ケニアのとある洞窟でのみ見つかっています。翅のないハエは他にもおり、その多くが成虫になってからは単一の宿主に寄生して過ごしますが、モルモトミュイア科に属するのはこの1種だけです。体長はおよそ1センチで、全身が細かい毛で覆われています。このモルモトミュイア・ヒルスタ（*Mormotomyia hirsuta*）が初めて

報告されたのは1936年で、ケニア東部のウカジ丘陵の洞窟で標本が採取され、アーネスト・エドワード・オースティンが報告しました。このハエは洞窟に住むコウモリに完全に依存していて、コウモリの糞に産卵し、孵（かえ）った幼虫はその糞を食べて成長します。成虫のハエはコウモリの体から出る分泌物を食べていると考えられています。彼らは外へ飛び出すことはできないまま —— もっとも、飛び出す理由もありません ——、洞窟内で短い一生を送ります。

長い長い口のスズメガ

　極端な姿の代表選手といえるのが、キサントパンスズメガ（*Xanthopan morganii praedicta*）です。ガとしては最も長い30〜35センチの口吻を持っています。ただし、最初に科学者の目にとまったのはこのガではなく、ガに授粉を媒介してもらう花の方でした。1862年、チャールズ・ダーウィンはマダガスカルの森林の樹冠で採集されたアングレカム・セスキペダレというランを調べていました。その花には、30センチという信じられない長さの管状の距〔花の根元から突出した袋状の部分〕がありました。ダーウィンの興味を引いたのは、白くて大きいロウ細工のような美しい花ではなく、どんな昆虫がこの花を受粉させるのか、その昆虫はどうやって距の奥の花蜜を吸うのか、ということでした。彼は、非常に長い口吻を持つ未発見のガの存在を推測しました。彼の説は長く顧みられませんでしたが、1903年にようやくキサントパンスズメガが発見されます。それからさらに90年近く経った後、人間が下ごしらえをした環境のもとで実際にこのスズメガがランの花の蜜を吸う場面が観察されましたが、自然環境での送粉の目撃例はいまだにありません。最近になって、もっと長い距を持つ別のランも発見されました。その花の送粉者は今のところ謎のままです。

インドネシアの新種チョウの発見

　タンブシシオオゴマダラ（*Idea tambusisiana*）は、過去50年間に発見されたなかでは最も壮麗なチョウだと言えるでしょう。見つかったのは1981年で、オオゴマダラ属の新種発見は100年以上ぶりでした。このチョウのどこがすばらしいかを理解するには、飛んでいるところを見る必要があります。大きな白い翅がそよ風を受けてゆったりと空を舞うさまは、まるで風に乗って飛ぶ1枚の紙のようです。そこから、英語では「手紙蝶（letter butterfly）」という別名もあります。タンブシシオオゴマダラはインドネシアだけに生息するチョウで、スラウェシ島のタンブシシ山の斜面でアンソニー・ベッドフォード＝ラッセルが発見しました。彼は、若者に船旅で世界を探検する機会を与え

る「オペレーション・ドレーク」という航海旅行に参加した義務教育修了者たちを率いて島を探検しているところでした（ちなみに、「オペレーション・ドレーク」の活動はその後「オペレーション・ローリー〔現・ローリー・インターノショナル〕」に引き継がれました）。激しい雨にも見舞われながら数日間つらい山登りをした彼らは、森の中のひらけた場所にキャンプを設営し、夕食のためにコウモリを料理しながら、天気が晴れたことを喜んでいました。その時、ふいに1匹の大きな白いチョウの姿がベッドフォード＝ラッセルの目に入りました。ただのチョウではないと感じた彼はあわてて捕虫網に手を伸ばし、しばらく追いかけた末に捕まえました。それが、後に新種と判明したのです。

チリオサムシ

　下の写真の美しいチリオサムシは、5年に及ぶビーグル号の探検航海（1831－36）の途中にチャールズ・ダーウィンがチリのアンデス山脈で自ら採集したオサムシのひとつで、彼にちなんでケログロッスス・ダルウィニイ（*Ceroglossus darwinii*）と名付けられています。ダーウィンが自然選択による進化という理論を生み出したきっかけとして最もよく挙げられるのは鳥類ですが、彼が最初に熱中したのは甲虫で、ケンブリッジ大学の学生だった頃から甲虫採集にいそしんでいました。ビーグル号が港に停泊すると、ダーウィンは機を逃さずに必ず探索に出かけ、見つけた虫を採取しました。若くて熱心な助手たちの助けも借りて彼は金属光沢を持つチリオサムシ属（*Ceroglossus*）の標本を30点以上集め、持ち帰って研究しました。食欲旺盛な捕食者であるこの虫は、昼間は暑さと敵を避けるために隠れているので、探すのがなかなか大変です。ダーウィンたちも身をかがめては石や岩をひっくり返さなければならなかったことでしょう。そうやって捕まえられたオサムシたちは今、ダーウィンが収集した1万点以上の昆虫コレクションという貴重な遺産の一部として、自然史博物館に収蔵されているのです。

ゾウムシ入りの指輪

　今から200年ばかり前、どこかの誰かが、ゾウムシを愛するあまり金の指輪の中にはめこみました。これが博物館の所蔵品になったいきさつは記録に残っていません。標本ラベルがなくなってしまったのかもしれませんし、最初から公式に記録されなかったのかもしれません。ゴージャスなケースに収まったこの標本は、他の——伝統的な虫ピンで留められた——甲虫コレクションと同様に大切に管理されています。台座にはD. F. のイニシャルと、ウェルギリウスの『農耕詩』の「小さな物の中に展開されるすばらしい光景」という一節がラテン語で書かれています〔訳は『牧歌／農耕詩』（小川正廣訳、京都大学出版会）より〕。おそらくこの指輪は贈り物として作られたのでしょう。

　主役に選ばれたゾウムシはテトラボティヌス・レガリス（*Tetrabothynus regalis*）といい、西インド諸島のイスパニョーラ島に生息しています。体長は1センチ程度で、光を浴びると宝石のように金色と青に輝くこの虫は、指輪に入れるには完璧なチョイスといえるでしょう。光沢は体の表面の微小な構造によるもので、チョウの鱗粉と同様に光の干渉できらめきます。顕微鏡を使うと、小さな光の玉のような構造を見ることができます。

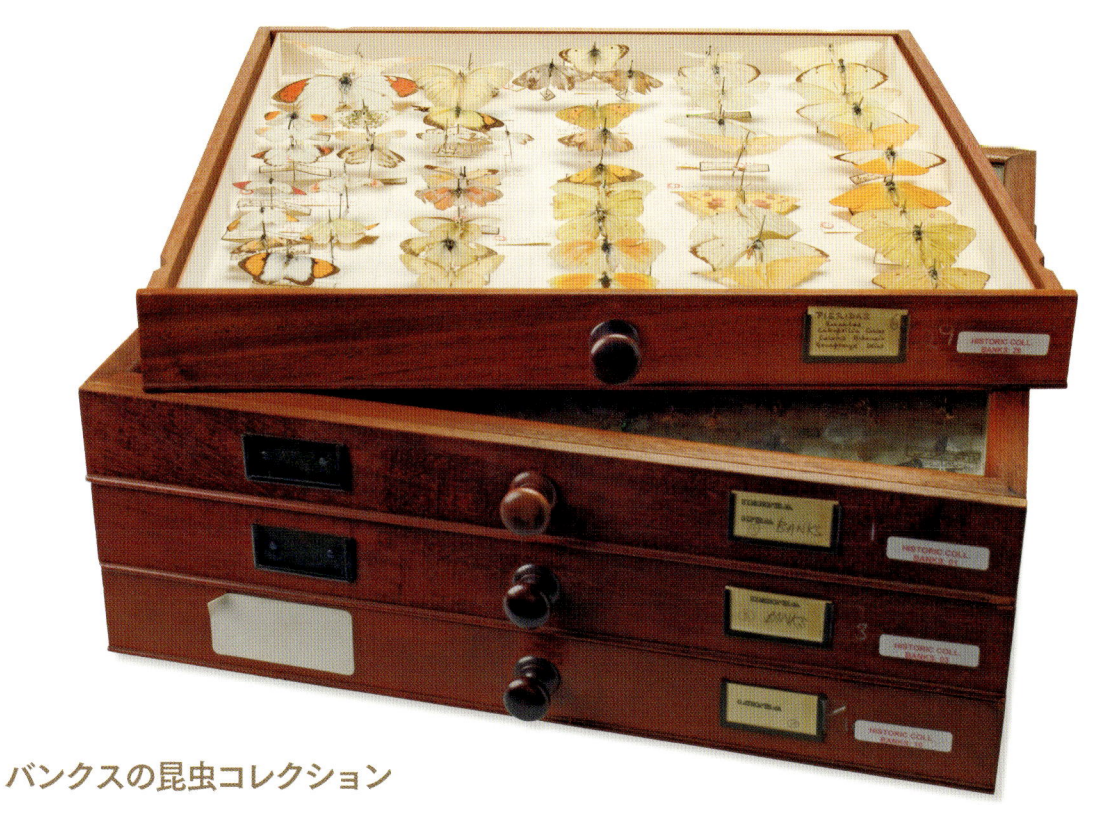

バンクスの昆虫コレクション

　これは、科学的なコレクションとしては世界で最も早い時期に作られた標本です。チョウ、ハエ、カメムシ、ガなど4000点以上の昆虫からなるこの標本を作ったのは、ジョゼフ・バンクス——当時の最も有力な学術後援者のひとりで、王立協会の会長も務めた人物でした〔27、52ページ参照〕。それまでのコレクションといえば、個人がめいめい興味のあるものや見た目が美しいものを集めて、種々雑多な品が混じった「珍品収納棚」を作るという形がほとんどでした。啓蒙時代の訪れとともに、ようやく自然界についての知識への希求や、異なる生物種同士がどのような関係にあるのかへの関心が高まり、より専門的なアプローチが取られるようになったのです。バンクスのコレクションは、ひとつひとつの標本が注意深くピンで固定され、名札を付けられ、秩序立った標本引き出しに収められているため、眺めるのも研究するのも容易です。コレクションの大部分は、バンクスがキャプテン・クックの南太平洋探検航海（1768−1771）に参加した時に採集されました。その際にバンクスは、オーストラリアの地を初めて踏んだヨーロッパ人のひとりになっています。彼が大規模な採集旅行をしたのはこの1回だけでしたが、マデイラ、タヒチ、ニュージーランド、オーストラリア、南アフリカ、そしてそれ以外のアフリカの一部地域で標本を集めました。彼は助手たちの協力も得て、イギリスへ持ち帰るのが可能な範囲で最大限多くの新種を採集しました。このコレクションはいまも研究が続けられており、この中から新たな種が発見されたり、学名の変更が行われたりしています。

羽根飾りのような"尻尾"

このアラルアサ・ヴィオラケア（*Alaruasa violacea*）には羽根状の尾があるように見えますが、これは実は、虫が腹部から一生涯少量ずつ分泌しつづけるロウ状の物質だけでできています。成熟するにつれてロウがたまり、"尾"は長く重くなります。写真の個体の尾はコレクション中で最も長く、8センチ近くあります。なぜロウの尾を作るかは不明ですが、ある説は脂質の老廃物を排泄しているのではと考え、別の説は、背後から捕食者に襲われた時に不味いロウだけを食わせ、逃げるチャンスを作るためではと推理しています。この虫はセミやヨコバイと近縁関係にあるビワハゴロモ科に属しており、南米の熱帯地方に生息し、口吻を木に突き刺して樹液を吸って生きています。ビワハゴロモ科の虫は大部分がロウ状の物質を分泌するので、腹のまわりが細かいクモの巣で覆われたように見えるものが多くいます。

ピーナツそっくりな頭

ユカタンビワハゴロモ（*Fulgora laternaria*）は英語で「ピーナツ・ヘッド・バグ（ピーナツ頭の虫）」と呼ばれます。ピーナツそっくりな頭は長さが6センチほどもあり、胴部とほぼ同じサイズです。なぜこの形なのかはよくわかっていません。ある説では、この虫を横から見るとトカゲに似ていて、頭の側面の暗色のマーキングが歯のように見えるので、攻撃しようとする生物がためらうのではないか、とされています。トカゲだと思ったら軽々しく襲いはしないだろうというわけです。一方、ピーナツのような頭の中にまで消化器官があることから、頭の形が消化に関係していると考える人々もいます。ビワハゴロモ科の他の虫と同様に、この種も胸と腹の分泌腺からロウ状の物質を出して、身体に白くきめの細かいコーティングをします。この虫を記録し報告したのは、スウェーデンの偉大な科学者、カール・フォン・リンネです。種小名の *laternaria* は、この虫の頭がランタン（lantern）のように光るという伝説にちなんだのかもしれません。

プラチナコガネ

　コガネムシには美しい光沢を持つ
グループがいくつかありますが、こ
のクリシナ・リンバタ（*Chrysina limbata*）というプラチナコガネはま
るで本当にプラチナでできているかの
ように見えます。自然界における多様
性と極限の追求を物語る完璧な見本で
あり、コガネムシ収集家たちにとって
は、のどから手が出るほど欲しい宝物
です。写真の個体は、自然史博物館が
所蔵する唯一のクリシナ・リンバタの
標本です。驚くべき外見を持つこの虫
は、野生で目撃されることはあまりあ
りません。運よく見たことのある数少
ない人たちによれば、コスタリカと西
パナマの雨林地帯で木漏れ日が作る光
と影のまだらの中をこの虫が飛ぶと、
キラキラ輝いて見えるということで
す。非常に反射率が高いこの鞘翅（さやばね）は、
捕食者を引き寄せるかと思いきや、鳥
や爬虫類やサルなどの敵を光で困惑さ
せて、逃げる時間をかせぐのに役立ち
ます。どうやってこの金属光沢を獲得
するに至ったのかは十分には解明され
ていません。鞘翅は、基部の色素の上
に顕微鏡レベルの薄さの無色の膜が何
層も重なっています。この薄膜層が、
CDの表面のアルミの薄層と似た光の
干渉を起こして、輝いて見えるのです。

チャーマーズ＝ハント・コレクション

19世紀から20世紀初めにかけての古い捕蝶網、拡大鏡、捕虫瓶、虫ピンの箱、虫ハサミ —— これらは、300点以上からなる歴史的な昆虫採集道具コレクションに含まれる品々です。不要になった道具 —— 他の昆虫学者や博物館学芸員たちが見向きもしなかった品々 —— を集めて魅力的なコレクションを作り上げたのは、優れた昆虫学者として尊敬を集めたマイケル・チャーマーズ＝ハント（1920－2004）でした。古い昆虫採集道具などほとんど価値がないと思われていた1980年代に、彼はこれらの品が持つ歴史的な意義を認め、廃品の山から多くのアイテムを救い出しました。多くはとうの昔に耐用年数を超えており、金銭的な価値はないに等しいと言えます。けれども、昆虫採集が人気の高い趣味だった時代を体現している点で、とても貴重な品々です。かつては多くの人が昆虫を採集し、友人同士で交換し、珍しい虫は立派な標本箱に入れて飾っていました。彼らのおかげで昆虫採集道具の需要は大きく、それに応えるために採集用品生産が一大産業をなしていました。現在では業界の規模ははなはだしく縮小してしまいましたが。

動物学
Zoology

スローンのオウムガイ

　丹念に彫刻がほどこされたこの殻は、学術的な価値があるためではなく美しさのゆえに尊ばれています。この殻はかつて、イカの親戚にあたるオウムガイ（*Nautilus*）という生き物の"家"でしたが、オランダの工匠ヨハンネス・ベルキーンの手で芸術品へと姿を変えました。

　ベルキーンは、真珠母貝象嵌細工師ジャン・ベルキーンの息子として1636年に生まれました。彼の生涯についてはほとんどわかっておらず、没年も不明ですが、彫刻の様式からこのオウムガイの殻は1675年から1700年までの間に作られたものと推定されます。ベルキーンは父から受け継いだ技術でオウムガイの殻の内部を仕切る小部屋の隔壁を注意深く磨いて真珠層を露出させ、次いで外側に繊細な葉の文様を浮彫りにし、正面側の3ヵ所には丸く囲んだ中に人物が密集した場面を線刻で描きあげました。丸囲みのうち1ヵ所には、自身のサインを入れています。

　サー・ハンス・スローン〔23、66、69、166ページも参照〕がこれを手に入れたのは17世紀末か18世紀初めだろうとみられています。そして彼の死後、他の品々とともに、大英博物館創設時のコレクションの一部となったのでした。

競走馬の骨格

　自然史博物館に収蔵されている骨はすべて科学に貢献したから大切にされている——という考えは、必ずしも正しくありません。この骨格は名高い競争馬ブラウンジャックのもので、自然史博物館に寄贈された伝説的な競走馬11頭の標本のうちのひとつです。どの馬についても勝利したレースのデータや血統を記したファイルが付属していますが、現在は主として研究用の標本として役立っています。たとえば、獣医たちが骨を見て、馬の生活様式による骨の損傷——若い時に過度に騎乗を繰り返されたことによる脊椎の圧縮など——を調べたり、骨同士がどのように連携して動くのかを理解したりする役に立っているのです。ブラウンジャックの骨格は、セントサイモンとパーシモンと並んで、最も知名度が高い交連骨格のひとつです。セントサイモンはサウスケンジントンに自然史博物館がオープンしたのと同じ1881年生まれで、出走レース9戦に全勝し、アスコットゴールドカップでは2着に50メートル差をつけました。その子パーシモンは1893年生まれ、アスコットゴールドカップのみならずダービーとセントレジャーステークスをも制し、馬主のアルバート・エドワード皇太子〔後の英国王エドワード7世〕に大いに名誉をもたらしました。ブラウンジャックはクイーンアレクサンドラステークスの6連覇（1929-1934）という大記録を持っています。

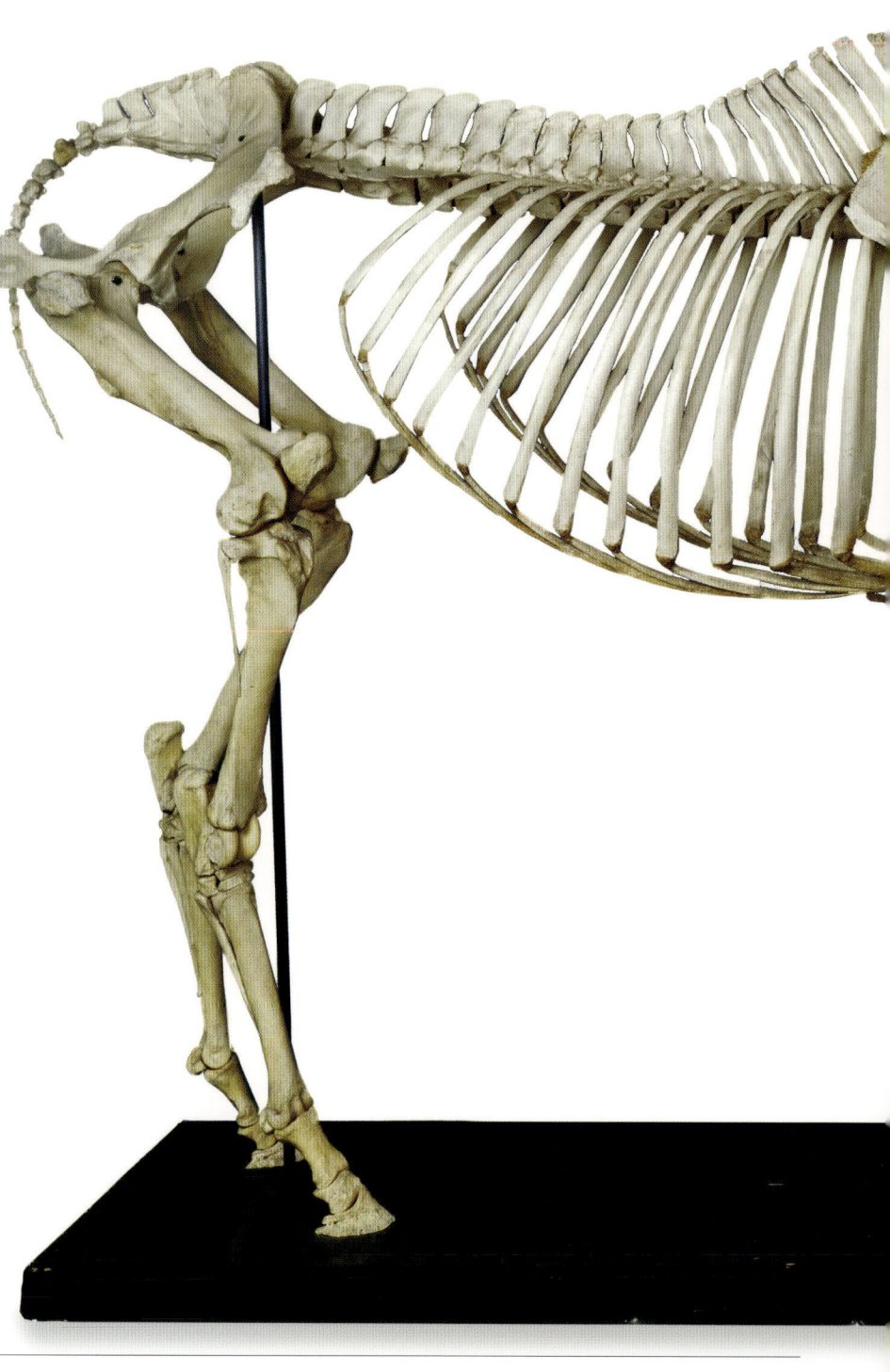

Mick the Miller

伝説のグレイハウンド

　ミック・ザ・ミラーは世界一有名なグレイハウンドで、1920年代のドッグレース界の伝説的存在です〔ドッグレースは、トラックコースでグレイハウンドを競争させて賭けをするイベント〕。けれども、運命の歯車がひとつ違っていればレースに出ることすらできなかったでしょう。アイルランドのとある牧師館で生まれ、そこの用務係にちなんでミックと名付けられた仔犬は、1歳の時に犬ジステンパーという致死率の高い伝染病にかかり、生死の境をさまよいました。飼い主のブロフィー牧師は獣医のところへミックを連れて行き、昼夜を分かたぬ治療と看病のおかげでミックは回復しました。2歳になったミック・ザ・ミラーは1928年4月にドッグレースにデビューし、1931年に引退するまで61レースに出走して、19連勝を含む46勝を挙げました。現役時代には5つのクラシック・レースすべてを制したほか、グレイハウンド・ダービーで2度優勝した初めての犬として知られます。たびたび新聞の見出しを飾り、多額の賞金を獲得したミックが1939年に眠るように息を引き取ると、最後の飼い主のA・H・ケンプトンは彼を剥製にし、自然史博物館に寄贈しました。

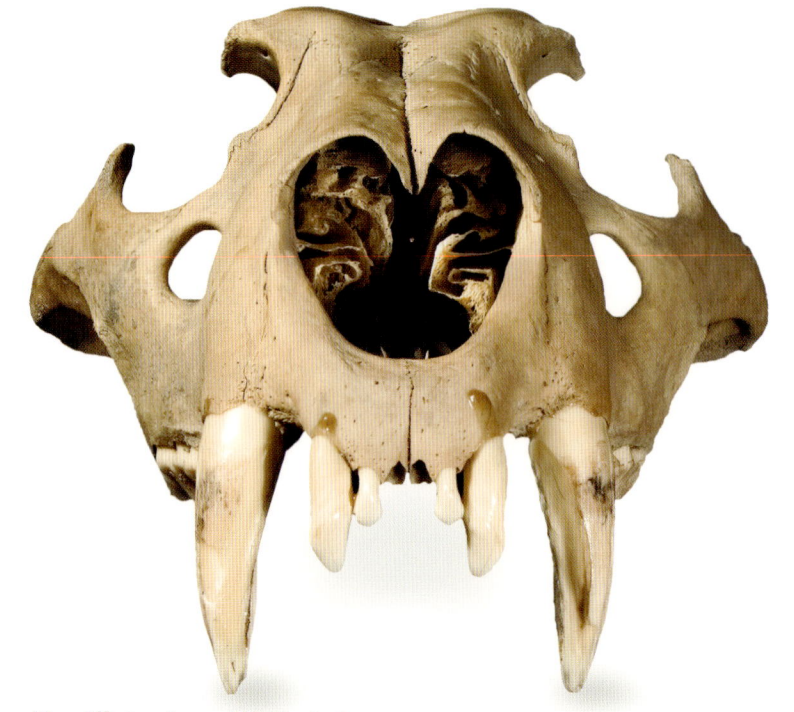

ロンドン塔のバーバリライオン

　これは、かつてロンドン塔にあった王室動物園——珍しい野生動物を集めた王家のコレクション——で暮らしていたライオンの頭骨で、ロンドン塔の堀から発掘されました。生きている時は手厚く世話をされていたのに、死んだら堀に投げ込まれたのでしょう。死後すぐに堀の底に埋まったことで、これほど良好な状態で保存されたとみられます。

　王室動物園は、イングランドのジョン王によって12世紀末か13世紀初めにオックスフォード近くのウッドストックに創設され、まもなくロンドン塔に移されました。それから何世紀もの間、塔は外国の君主から贈られた動物たちも含め、多くの動物の住みかとなりました。特に英国王を象徴するライオンは重要な動物でした。この標本は1937年に見つかった2個の頭骨の片方で、近年の放射性炭素年代測定により、1280年から1385年までの間のどこかに生きていたことが判明しています。もうひとつの頭骨は1420年から1480年の間のものです。長い頭骨と大きな犬歯（牙）からもわかるようにどちらもオスで、顎の骨から採取したDNAを分析した結果、2頭は、今では野生絶滅した北アフリカのバーバリライオンに特徴的な遺伝子を持っていることが判明しました。20世紀初頭まで野生のライオンが残っていた北アフリカ西部は、ヨーロッパから最も近いライオン生息地でした。当然、中世の商人たちがライオンを手に入れに行く先はそこでした。しかし、20世紀の初めには、サブ・サハラ〔サハラ砂漠以南〕以外のライオンは、インド北西部に暮らすごく少数を除いて実質的に絶滅してしまいました。

ケープライオン

　ケープライオンは19世紀に狩猟によってあっという間に絶滅してしまったため、動物学者は長い間、研究のための標本を見つけられずにいました。ところが1954年に、このライオンが自然史博物館に送られてきたのです。この剥製は60年にわたって、ガラスケースに入ってとある紳士クラブ〔上流階級の紳士を対象とした会員制クラブ〕に飾られていました。その後さらに6体のケープライオンの標本が各地で発見されましたが、威厳に満ちた強大なケープライオンの姿を最もよく伝えているのはこの標本であると言ってよいでしょう。

　ケープライオンはかつて、南アフリカの南端沿いに生息していました。他のライオンと違う点は、肩にかかるふさふさした黒いたてがみと、腹部の黒い毛と、大きな頭骨です。この標本のオスは、1830年頃に南アフリカのオレンジ川近くで英国陸軍砲兵隊のコップランド＝クロフォード大尉に仕留められました。あまりに立派だったので、1895年にロンドンのジュニア・ユナイテッド・サービシズ・クラブという紳士クラブに寄贈され、サバンナの草を配したガラスケースに収めて陳列されました。博物館に来てからも同じガラスケースに入っています。研究者たちはこの標本を調べて、ケープライオンがライオンの独立亜種なのかどうかの解明を目指していますが、答えはまだはっきり出ていません。

最後のニホンオオカミ

　1905年1月23日、若いアメリカ人採集人マルコム・アンダーソンがこの野生のニホンオオカミの死体を猟師から購入した時、彼はそれがニホンオオカミの最後の目撃例になることなど知るよしもありませんでした。このニホンオオカミが見つかったのは日本の紀伊半島で、アンダーソンと弟のロバートは東アジア各地を巡る大掛かりな標本収集旅行の一環としてその地を訪れたのでした。彼らが集めた標本はすべて自然史博物館に収められましたが、このオオカミはそのなかで最も貴重な標本です。ニホンオオカミは、本州、四国、九州の山間部の森林に生息していました。世界のオオカミのうちで最も小型でしたが、それでも家畜にとっては脅威で、猟師に撃たれたり罠にかかったり、また狂犬病に冒されたりして絶滅したと考えられています。写真のオオカミの皮と頭骨は一般展示されたことはありませんが、研究され、写真に撮られ、数多くの雑誌やガイドブックの記事になりました。日本のテレビ局が撮影に来たこともあります。この毛皮を見に訪れた人たちの中には、発見時にアンダーソン兄弟の案内人を務めていた金井清〔当時第一高等学校生、後に長野県諏訪市長〕の子孫もいます。

エピオルニスの卵

　およそ鳥の卵のなかで知られている限り最も大きいものがこれです。この卵を産んだのは、マダガスカルに生息していたエピオルニス・マキシムス（*Aepyornis maximus*）という鳥です。英名のelephant bird（象鳥）は、この鳥の巨大なさまをよくあらわしています。卵の容積は8〜10リットルで、ニワトリの卵の150倍から200倍。1個あれば1家族の何日分もの食事をまかなえ、残った殻を収納に役立てることもできるでしょう。

　エピオルニスは背の高さが3メートル以上、体重は400キロ以上にもなり、史上最も体重の重い鳥でした。現存する鳥のなかで最も重いダチョウのおよそ4倍です。親類のダチョウ、エミュー、ヒクイドリ、モアと同様にエピオルニスも飛べない鳥で、その化石は200万年近く前の更新世の地層からも見つかっています。エピオルニスにはワニとワシを除けば自然界にほとんど天敵がおらず、マダガスカルで生活を謳歌していましたが、人間が島にやってきた後、17世紀に絶滅したとみられます。巨大な卵は今でもたまに海辺や湖の岸で見つかります。ほとんどはかけらですが、まれに全体がそのまま出てくることがあります。なかには胚子の骨が入っているものもあり、現在ではそれを高解像度のX線と最新のコンピューター技術で研究することが可能になっています。

世界一長生きしたゾウガメ

　このゾウガメは、知られている限り最も長生きした個体で、死亡時に200歳をゆうに超えていたとみられています。それだけでなく、このカメには年齢を証明する文書や写真など、極めて質の高い記録があります。記録のほとんどは確かで信頼できるものです。というのも、このカメは生涯の大部分を同じ場所で —— モーリシャスのポートルイスにあった砲兵隊の兵営で —— 暮らしたからです。1766年にフランス人探検家のマリオン・デュ・フレーヌが、このカメを含む5頭のゾウガメをそこに持ち込みました。なぜカメを連れてきたのかは不明ですが、カメたちが北に1500キロメートル以上離れたセーシェルから運ばれてきたことはほぼ確実とされています。このゾウガメに関して残っているその次の記録は、1810年にイギリスがモーリシャス島を占領した時のものです。イギリス人は兵営にゾウガメがいるのを見つけました。イギリス人が描いた絵には、甲羅の横にこの標本と同じ大きな傷が描かれています（おそらく酔った士官が甲羅の厚さを試そうと銃で撃った際の傷とみられます）。やがて視力を失ったゾウガメは1918年に転落事故で死にました。モーリシャスで150年以上暮らしたことになります。このカメは島に来てから大きさが変わらなかったと伝えられています。つまり連れて来られた時にすでに成体だったということで、そこから、死亡時には200歳から250歳だったと推定されているのです。

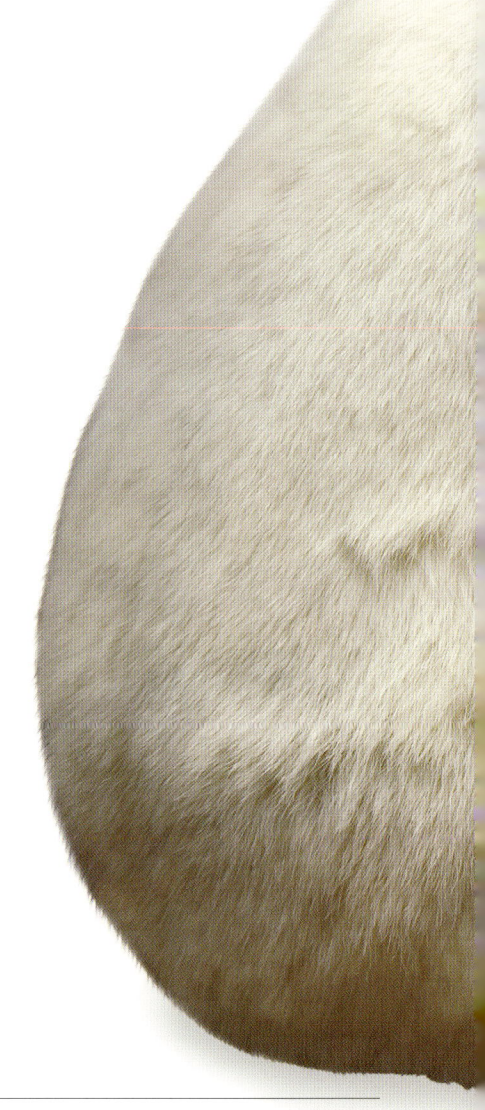

リョコウバト

　リョコウバト（*Ectopistes migratorius*）の剥製はそれほど特別なものではなく、あちこちの博物館で見られます。けれども、それらの標本の背景にある物語には、特別な意味と教訓が含まれています。かつてリョコウバトは何億羽も生息しているありふれた鳥でしたが、100年もたたぬ間に絶滅しました。これは普通なら想像もできないことで、ありふれたハエが1種絶滅するのと同じくらいありえない話です。リョコウバトは北米大陸の東部に生息し、空が真っ暗になるほどの大群で行動していました。専門のハンターがこのハトを捕獲して食用として売りさばいていました。時には空中で長い棒を振り回すだけで鳥を落とせましたし、網を張った中に目を見えなくした<ruby>囮<rt>おとり</rt></ruby>のリョコウバトに紐をつけて入れておき、群れをおびき寄せる方法も取られました。1日に2000羽以上も捕獲できた罠猟師もいたということです。そのうえ、鳥たちが暮らす森林が北でも南でも伐採されるにつれて、リョコウバトは減っていきました。けれども、もはや数の回復が不可能なところまで彼らを追いやったのは、もっと繊細で複雑な事情でした。リョコウバトが群れを維持するには一定の数が必要だったらしいのです。群れの個体数があるレベルより少なくなると、その群れは急速に消滅しました。その理由が雛の世話に関係していたのか餌探しの問題だったのかは不明ですが、多数が集まった群れでいることで安定が保たれていたのです。リョコウバトが絶滅した正確な瞬間は、1914年9月1日13時00分。アメリカのシンシナティ動物園で飼育されていた最後の1羽——マーサと名付けられたメス——が死んだ時でした。

ホッキョクグマ

　このホッキョクグマの顔にうかぶ微笑みを見ると、ヴィクトリア朝の剥製師が誤解していたことがうかがえます。彼はどうやら、白い毛皮から"温和な巨人"を連想していたようです。けれども、実際のホッキョクグマ（*Ursus maritimus*）は獰猛な動物で、地上最大の肉食獣です。好みの獲物はワモンアザラシですが、生息域である北極圏で狩ることのできるものなら、鳥、卵、齧歯類、貝、カニ、シロイルカ、セイウチの仔、ジャコウウシ、トナカイなど何でも食べ、夏には草木さえも口にします。鋭い嗅覚を持ち、アザラシのにおいを64キロメートルも離れたところで感知した様子を見せ、そこから氷の上をまっすぐに標的めがけて進んだことが観察されています。泳ぎも得意で、休まずに100キロメートル以上泳ぎ続けることができ、アザラシを狩る際には最長で2分も潜っていられます。

　この標本のホッキョクグマは、19世紀末から20世紀初めにかけてウォルター・ロスチャイルド〔135ページ〕が集めたコレクションのうちの1点でした。現在は自然史博物館のトリング館に展示されており、作家レイモンド・ブリッグス〔『スノーマン』や『風が吹くとき』の作者〕が絵本『くまさん』を描く時のモデルになったことでも知られています。

オカピの毛皮

　初めてオカピという動物が公式に記録された時、その証拠になったのがこのベルトでした。まごうことなきオカピ独特のえんじ色の縞がよくわかります。1900年にこれが探検家のサー・ハリー・ジョンストンから自然史博物館に送られてきた時、関係者は興奮に包まれました。ジョンストンはアフリカにおけるイギリスの植民地行政官としてさまざまな任務を担当する中で、長い脚と縞模様を持ち、稀にしか目撃されない動物がコンゴにいるという話を聞いていました。とはいえ、彼も実際に目にしたことはありませんでした。その動物を探すチャンスが訪れたのは彼がウガンダにいた時です。ヨーロッパの展覧会で見世物にするために誘拐されたピグミーが保護され、彼らをコンゴの故郷へ送り届ける必要が生じたのです（展覧会でなじみのない異郷の人間を展示することは、当時よく行われていました）。ピグミーたちとともにコンゴに入ったジョンストンの「謎の動物探し」は空振りに終わりましたが、帰路に立ち寄った陸軍の兵営でひとりの兵士がオカピの毛皮で作ったベルトを締めているのを見つけた彼は、その場でそれを買い取りました。彼にとっては本物を捕まえるのと同じくらい意味がありました。ベルトを受け取った研究者は、本物が見つかるのを待つよりもとにかく急いでこの珍しい新種の動物を記録しようとしたので、ベルトはその動物の最初の発見例として学術的に記録され、オカピア・ヨンストニ（*Okapia johnstoni*）という学名が付けられました。

タスマニアタイガー

　フクロオオカミ、別名タスマニアタイガーは、ヨーロッパ人が出会ったなかで最大の肉食有袋類であることと、急速に絶滅したことで有名です。オーストラリアの南の海に浮かぶタスマニア島に住み、イヌに似た姿にトラのような縞模様と、伝説の生物になる要素をふんだんに備えています。けれども、タスマニアタイガーという名前とはうらはらに、大きさは大型犬程度で、おとなしく臆病でした。イヌと違って子どもを未熟な状態で産み、生後３ヵ月は母親の腹にある袋（育児嚢）の中で育てました。オーストラリアの北西部では、少なくとも3000年前に描かれたフクロオオカミの岩絵が見つかっています。人間に狩られたことと、人間とともに入ってきたディンゴとの競争に敗れたことで、オーストラリア本土では徐々に消滅への道をたどりました（ただ、18世紀やそ

れ以降にもまだ生存例の報告がありました）。タスマニアでは、19世紀前半に人間が入ってきたことと、それ以上に人間が持ち込んだヒツジのために、フクロオオカミに　禍　が降りかかります。実際にフクロオオカミが家畜にとってどれほど危険な存在だったかはわかりませんが、1880年頃にはフクロオオカミの首に１頭１ポンドの賞金がかけられていました。あまりの激減ぶりに、懸念した政府は1936年にフクロオオカミ駆除を禁止し、保護動物に指定しましたが、すでに手遅れでした。59日後にホバート〔タスマニアの州都〕の動物園にいた最後の飼育個体が死に、1986年に公式の絶滅宣言が出されました。それでもまだどこかに野生のフクロオオカミが生き残っていると信じる人は多く、目撃情報もしばしば伝えられますが、決定的な証拠はなにもありません。

スイギュウの角

　医師で収集家であったハンス・スローン〔23、66、69、152ページ参照〕が治療費の代わりに受け取ったのが、この雄大な角です。サウスケンジントンの自然史博物館が1881年に開館するよりずっと前からのコレクションといえます。片方だけで2メートル近い長さがあり、アジアスイギュウ（*Bubalus bubalis*）の角としては記録にある中で史上最大です。250年以上前のものであるこの角は、最善の状態を保つために湿度50％前後、温度16〜18℃の安定した環境下で保管されています。

　他の医師であればこんなかさばるもので治療費を払うと言われたら断るでしょうが、スローンは普通の医師ではありませんでした。彼は収集に情熱を傾けていましたし、自身も富豪だったので、興味を引かれたものはすべて大金を払ってでも購入しました。1753年に死去した時、彼の屋敷のすべての部屋や廊下をはじめ、ありとあらゆる場所に本や貝殻、コイン、彫刻や絵画、その他もろもろが積み重なっていました。彼のコレクションをもとにして大英博物館が作られ、その自然史部門が後に独立したのが大英自然史博物館です。

ウォレスのオランウータン

　この堂々たるオランウータンは19世紀半ばに博物学者アルフレッド・ラッセル・ウォレス〔47、128ページ〕が狩猟で仕留めた個体です。これは、こうした標本が――収集のために命を奪う行為が行われたことはひとまず脇においておいて――、想像を超えた場所や動物の存在に対して西洋の人々の目を開かせた、そんな古き時代を振り返るよすがとなる品です。チャールズ・ダーウィンとは別に自然選択による進化理論に独自に辿りついた学者として知られるウォレスは、8年にわたってインドネシアの島々を旅して回り、目に入る生物すべてを調査しました。彼はボルネオ島で何百点もの標本を集め、数多くのボルネオオランウータン（*Pongo pygmaeus*）を射ちました。著書『マレー諸島』にはその頃の出来事が記されています。血に飢えたハンターからはほど遠かった彼はオランウータンに畏敬の念を抱いており、親を失ったオランウータンの子を世話した時のことを、感情をこめて綴っています。「私はゆりかご代わりに小さな箱をひとつ用意し、柔らかいマットを敷いて、その子を寝かせた。（…）毛にブラシをかけてやると本当に嬉しそうで、静かに横になっていた（…）。最初の数日、その子は4本の肢に触るものには何にでもしゃにむにしがみついた。私は自分のあごひげを摑まれないように気をつけなければならなかった」。

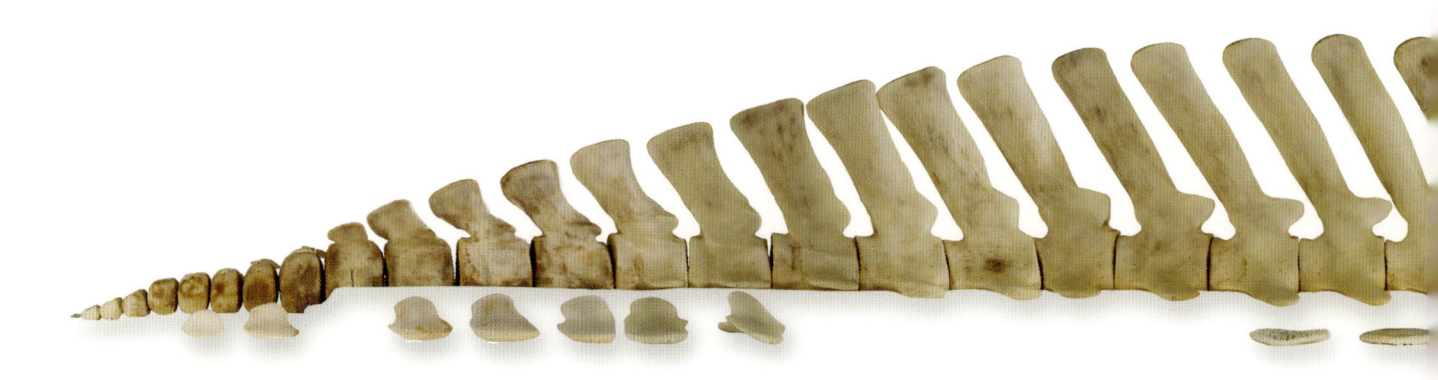

シャチの腹の中にいた条虫

　1978年、イギリスはコーンウォールの海岸に体長3.8メートルのシャチが打ち上げられました。そのシャチの消化管内にいたのが、この珍しい条虫です。裂頭条虫の1種でディフィロボトリウム・ポリルゴスム（*Diphyllobothrium polyrugosum*）というこの寄生虫は、それ以前には1例しか見つかっておらず、体長は宿主のシャチよりも長い5メートルほどです。宿主のシャチは、毎年イギリスの海岸に流れ着く数百頭のシャチのうちの1頭でした。自然史博物館はこうした漂着シャチのモニタリングを担当しており、まだ生きている場合は助ける努力をし、死んでいる場合はなぜ浜に乗り上げるのか、どの種に多いのか、どこによく漂着するかなどの解明のために研究しています。この条虫のような寄生虫は、驚くほど見事に宿主に適応しています。彼らは口や消化管を発達させるかわりに、シャチの消化管内にじっと潜み、シャチが獲物を食べて消化するのを待ち、その栄養素を吸収します。繁殖も単純で、成虫は全身がほぼ生殖体節だけで構成され、それぞれの体節に産卵能力があります。卵はシャチの糞とともに排出され、エビに食べられて、エビの体内で成長します。次にそのエビが魚に食べられ、その魚をシャチが食べることでサイクルが連続していくのです。条虫が住みかから脱出したり宿主を殺してしまったりすることはめったにありません。

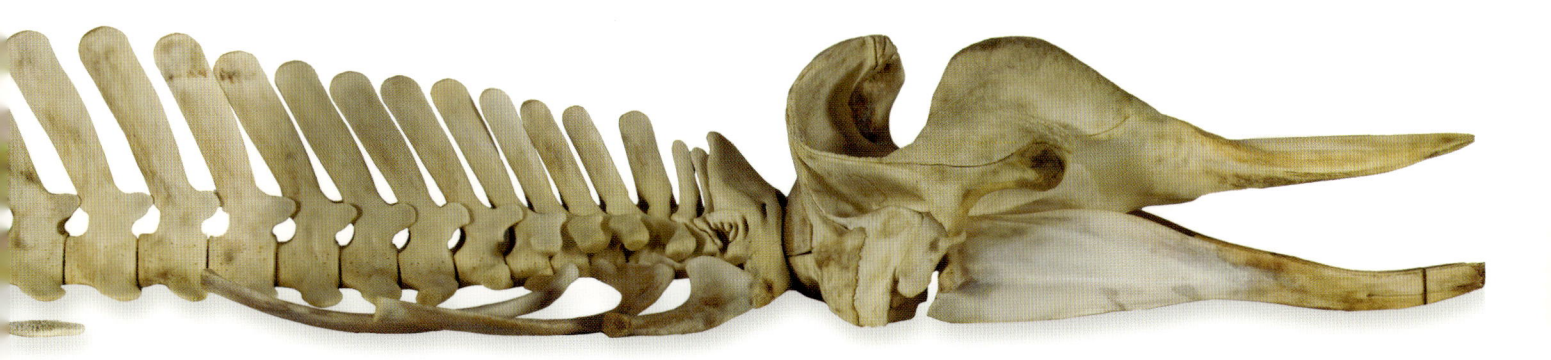

テムズ川のトックリクジラ

　体長6メートルのキタトックリクジラ（*Hyperoodon ampullatus*）がテムズ川を遡り、ロンドン中心部、アルバート橋付近まで迷い込んだのは2006年1月のことでした。クジラを救おうと大規模な救助活動が始まり、マスコミが大きく報道し、何千人もの人がクジラを見に集まりました。けれども、発見から3日後、外洋にほど近いところで、クジラは脱水症と筋肉損傷と腎機能障害のために死にました。自然史博物館の科学者たちが解剖のために呼ばれ、まる1日かけて脂肪と肉を切り取り、骨格部分を取り出し、梱包してラベルを付け、標本作製の準備を整えました。世間の関心がとても高かったことからこのクジラの骨は自然史博物館に収められ、世界一の鯨類研究用コレクションに加わることになったのです。

　キタトックリクジラはイギリスの海域でしばしば目撃されますが、本来の生息地は北大西洋から北極圏付近までの深海です。この10歳未満の若いメスがなぜテムズ川をのぼってきたのかはわかっていません。今後、骨や体組織の研究を通じて、キタトックリクジラが何を食べているか、1年のどの時期にどこにいるのかなど、より詳しい生態が解明されていくことでしょう。

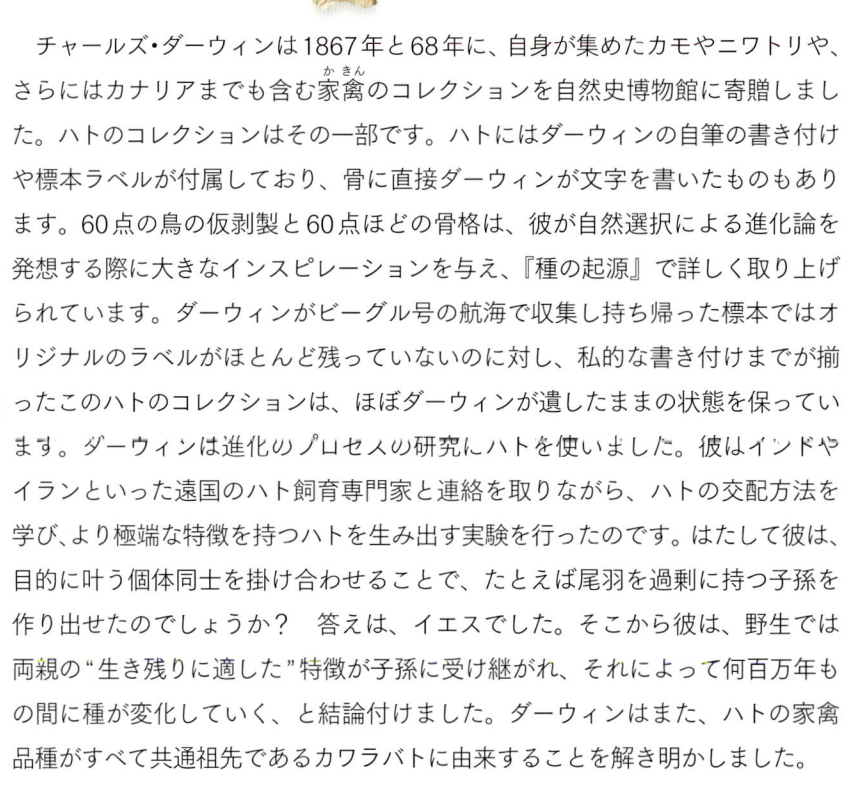

ダーウィンのハト

　チャールズ・ダーウィンは1867年と68年に、自身が集めたカモやニワトリや、さらにはカナリアまでも含む家禽（かきん）のコレクションを自然史博物館に寄贈しました。ハトのコレクションはその一部です。ハトにはダーウィンの自筆の書き付けや標本ラベルが付属しており、骨に直接ダーウィンが文字を書いたものもあります。60点の鳥の仮剥製と60点ほどの骨格は、彼が自然選択による進化論を発想する際に大きなインスピレーションを与え、『種の起源』で詳しく取り上げられています。ダーウィンがビーグル号の航海で収集し持ち帰った標本ではオリジナルのラベルがほとんど残っていないのに対し、私的な書き付けまでが揃ったこのハトのコレクションは、ほぼダーウィンが遺したままの状態を保っています。ダーウィンは進化のプロセスの研究にハトを使いました。彼はインドやイランといった遠国のハト飼育専門家と連絡を取りながら、ハトの交配方法を学び、より極端な特徴を持つハトを生み出す実験を行ったのです。はたして彼は、目的に叶う個体同士を掛け合わせることで、たとえば尾羽を過剰に持つ子孫を作り出せたのでしょうか？　答えは、イエスでした。そこから彼は、野生では両親の"生き残りに適した"特徴が子孫に受け継がれ、それによって何百万年もの間に種が変化していく、と結論付けました。ダーウィンはまた、ハトの家禽品種がすべて共通祖先であるカワラバトに由来することを解き明かしました。

ダーウィンのマネシツグミ

多くの人が、ガラパゴス諸島でチャールズ・ダーウィンが最初に注目したのはフィンチの多様性だと信じています。しかし実は、ダーウィンの関心をいち早く捉えたのはチャールズマネシツグミ（*Nesomimus trifasciatus*）というさほど美しくもない鳴鳥でした。この鳥こそ、彼がその後20年かけて構築した「自然選択による進化」理論の種子になったのです。下の写真の仮剥製は学術的に記録された最初のチャールズマネシツグミで、タイプ標本のひとつとして知られています。ダーウィンは1835年にガラパゴスに到着した時にチャールズ島〔現・フロレアナ島〕でこの鳥を目にとめ、その後別の島々で他の近縁種を発見しました。彼の著書『ビーグル号航海記』には、こう書かれています。「最初に大きく注意を引かれたのは、マネシツグミの標本をたくさん集めて比較した時である。驚いたことにチャールズ島で採れた個体はすべて同じ種（*Mimus trifasciatus*）で、アルベマール島〔イサベラ島〕のものはすべて *M. parvulus*〔ガラパゴスマネシツグミ〕、ジェームズ島〔サンチャゴ島〕とチャタム島〔サン・クリストバル島〕（…）のものは *M. melanotis*〔サンクリストバルマネシツグミ〕だった」。

ダーウィンフィンチ

上の写真は、歴史上最も有名な鳥たちかもしれません。そう、ガラパゴス諸島で採集されたダーウィンフィンチです。これらのフィンチはそれぞれ餌を採るのに最適な形にくちばしが適応しており、進化を現在進行形で見ることのできるこれ以上ないモデルです。この鳥たちは、チャールズ・ダーウィンがビーグル号で5年間航海した際に捕えられました。航海中の見聞がきっかけで彼は生物の多様性がなぜ生じたかを考えるようになり、やがて『種の起源』を1859年に発表することになります。13種のフィンチはどれもスズメほどの大きさで色は茶か黒と、全体の見た目は良く似ていますが、くちばしだけは何を食べるかに見事に適応し、種ごとに大きく異なっています。硬くて割りにくい種子を食べるものは大きくて力強いくちばしを持ち、小さな昆虫を食べるものはくちばしが小ぶりで先が尖っています。多くの人が、このフィンチによってダーウィンは自然選択という着想を得たと思っています。しかし、実はダーウィンは最初、フィンチの差異の持つ意味に特に注目はしませんでした。それどころか、それらがすべてフィンチであることさえ知らず、ミソサザイとクロウタドリとフィンチとウグイスだと思っていて、どの個体がどの島で獲れたのかを標本ラベルにきちんと記載してもいなかったくらいです。どれも近縁のフィンチであると同定したのは、イギリスの優れた鳥類学者のジョン・グールド〔37ページ参照〕です。そこからようやく、パズルのピースはかみあいはじめました。ダーウィンの進化論にとってフィンチより重要だったのはハトであり〔左ページ参照〕、彼はハトを選抜育種することで世代を重ねるうちにどれほど特徴が際立っていくかを実証したのでした。

ドードー

　ドードー（*Raphus cucullatus*）は絶滅動物の象徴であり、自然史博物館で最も有名な標本のひとつです。剝製の標本は現存しないため、骨格と、生きていた時の姿を再現した模型が展示されています。この模型はテムズ川にかかるハマースミス橋の下で違法に捕獲した白鳥の雛の羽根を使って作られたといわれています。模型はずんぐりした姿をしていますが、最近の研究では、ドードーは従来考えられていたほど滑稽な丸い体形ではなかったことが示されています。

　ドードーはハトの仲間で、アフリカの東の沖に浮かぶモーリシャス島に生息していました。天敵のいない島で彼らは地面に落ちた果物や木の実を食べ、繁栄していました。胸骨は空を飛ぶのに必要な強い筋肉を支えるには小さすぎました――つまりドードーは飛べない鳥だったのです。平和な暮らしが一変したのは17世紀初めに人間が現れてからです。人間が持ち込んだウサギ、ネコ、ブタにとって、地面に作られたドードーの巣は格好の獲物でした。森の木々が切り倒されてドードーの食べ物も減り、17世紀末に最後の1羽が死にました。自然史博物館初代館長のリチャード・オーウェンによってドードーについての最初期の研究が行われたのは、それから200年近くが経った1865年のことです。2005年に自然史博物館の研究者の支援のもと、モーリシャスのマール・オ・ソンジュの沼地のほとりで、ドードーの雛を含む非常に保存状態の良い骨が発見されました。2006年には、高地の洞窟で全身骨格も見つかっています。これらの発見により、知名度は抜群ながらまだ謎の多いドードーについて新たな知識が得られるに違いありません。

カモノハシ

　カモノハシ（*Ornithorhynchus anatinus*）ほど科学界を困惑させた動物はいません。上の写真は、1798年にオーストラリアからヨーロッパへ持ち込まれた最初のカモノハシの標本です。これを見た時、科学者たちは偽物だと考えました。毛皮に覆われた動物が、鳥のくちばしを持っているはずはないと思ったからです。当時、中国人がいろいろな動物の部分を巧みに縫い合わせて偽の珍獣を作って売ることはよく知られていました。サルの体に魚の尾の付いた"東洋の猿"はその一例です。カモノハシは外見が奇妙なだけではなく、内部も不可解でした。毛皮から推測されるように哺乳類だとすれば、哺乳類の典型的な特徴である子宮と乳腺はどこにあるのでしょうか？　カモノハシにはそのどちらも見つかりませんでした。けれども、1年に及ぶ綿密な調査を経て、研究者たちはカモノハシが偽物でも冗談でもなく、これまで知られていなかった驚くべき新種の動物であるという結論に達しました。カモノハシとハリモグラは単孔類というグループに分類されており、現生の哺乳類の中で最も原始的な特徴をとどめていると考えられています。子供を産むのではなく卵を産む哺乳類は、単孔類だけです。カモノハシのユニークな点はそれだけでなく、知られている限り唯一の"電場を感知できる哺乳類"であり（生体電流で獲物を見つけます）、毒を分泌する数少ない哺乳類のひとつでもあります。

偽装されたコキンメフクロウ

　非常に珍しいこのモリコキンメフクロウ（*Athene blewitti*）の標本は、とんだ災難にあった"至宝"です。この鳥は野生では100年以上目撃されず、絶滅したと思われていましたが、1954年に熱心な鳥類コレクターのリチャード・マイナーツハーゲン大佐（1878-1967）が「40年ほど前に自ら捕えた」としてこの標本を自然史博物館に寄贈しました。ところが実は、それはマイナーツハーゲンが自然史博物館から盗んだ標本の頭骨の一部を削り、肢をねじり、全体を洗い、標本ラベルを取り換えて偽の採集地情報を書き込んだものだったのです。彼はわずか7点しか知られていなかった貴重なこの鳥の標本（すべて1870年代と80年代に収集されたもの）のうち1点を毀損したことになります。1990年代になって真実を見出した研究者たちは、標本の本当の採集地であるインド中部にまだこのフクロウが生き残っているかもしれないと、1997年に探索に出かけました。なんという運命のいたずらか、本当に

モリコキンメフクロウが見つかりました。

　この偽装事件はスキャンダルとして報道されたうえ、他に同様の例がいくつもあることも明らかになりました。マイナーツハーゲンが自然史博物館に寄贈した約2万羽の鳥には、信頼できる標本とそうでない標本が混ざっており、多くのラベルが改竄されていたのです。たとえば2点の珍しいカワセミ類は採集地がビルマと書かれていましたが、実際は中国でした。マイナーツハーゲンは生前から自然史博物館の所蔵品を盗んでいたのではないかと疑われており、2度訴訟になりかけ、博物館から18ヵ月の出入り禁止処分を受けたこともありました。

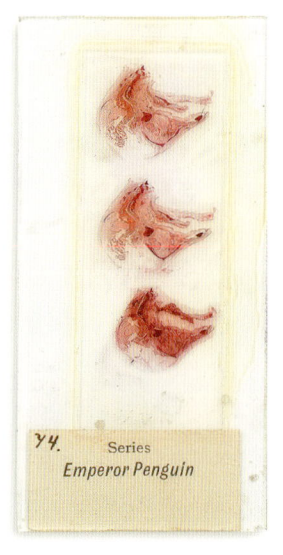

55 Series *Emperor Penguin*

74 Series *Emperor Penguin*

64 Series *Emperor Penguin*

ウィルソンが採集したコウテイペンギンの卵

　このペンギンの卵（左）はイギリスがテラ・ノヴァ号で南極に送り込んだ探検隊（1910–1913）〔48ページ参照〕が持ち帰った3個の卵のひとつで、上の写真は卵の中にいた胚子を薄くスライスした標本です。卵自体はなんら特別なものではなく、コウテイペンギンが絶滅危惧種なわけでもありませんが、この卵には心を揺さぶる悲劇の物語があります。スコット大佐のディスカヴァリー号での第1回南極遠征（1901–1904）の際、チームの動物学者エドワード・ウィルソンは3羽の若いコウテイペンギンを調べました。鳥類が爬虫類から進化したという理論を検証したいと切望していた彼は、ペンギンの卵を採集するために南極再訪を誓い、1911年のスコットの第2回遠征 —— 南極点到達を目指すテラ・ノヴァ号の遠征 —— に参加しました。彼は、同僚で親しい友人でもあるヘンリー・ロバートソン・バウアーズとアプスリー・チェリー＝ガラードを伴ってペンギンのコロニーを探しにメインキャンプを出発しました。凍てつく寒風の中で巨大な 氷 稜 を越えるという苦難や、橇を引く重さが肩にのしかかる辛さにも耐えた彼らは、19日後に貴重な卵5個の採取に成功しました（2個は割れてしまいました）。キャンプに戻った後、ウィルソンとバウアーズはスコットとともに極点を目指すメンバーに選ばれます。しかし、彼らはついに戻らず、残されたチェリー＝ガラードは仲間を失った悲しみに沈みながら、自ら胚子と卵の殻を自然史博物館に届けたのでした。3点の胚子のうち2点は切片標本として数百枚のスライドに調製され、1点はアルコールに漬けて保存されました。ただ、遠征の最終報告書が公表される頃には、この胚子によって祖先である爬虫類と鳥の間のつながりが証明できるとする考え方はほとんど否定されていました。

コウテイペンギン

　これは初めて人間が採集したペンギンのうち1体で、1839年から1843年までの間に捕えられました。誰もがペンギンを知っている今となっては、初めてこの生き物を目にした人々の気持ちを想像するのは困難ですが、さぞかし目を丸くし、興奮したに違いありません。この標本のペンギンを捕まえたのは、エレバス号とテラー号による南磁極の探索のためにイギリスの調査隊に加わっていた22歳の博物学者、ジョセフ・ダルトン・フッカーです。フッカーはあらゆる種類の目新しい標本の収集と記録に追われながら船医助手も務めていました。体長1メートル（体重はおそらく40キロ以上）のこの鳥を船に引き上げるには、誰かの手助けが必要だったことでしょう。フッカーがイギリスに戻った後、彼が集めた標本はすべて他の博物学者や専門家たちにより調査・命名され、この大型の鳥にはアプテノディテス・フォルステリ（*Aptenodytes forsteri*）という学名が与えられました。学名は、ジェームズ・クックがレゾリューション号で2度目の世界一周航海をした時に乗船していた博物学者のヨハン・ラインホルト・フォースター（1729−1798）とゲオルク・アダム・フォースター（1754−1794）〔29ページ参照〕の父子にちなんでいます。フッカーは自身のコレクションのうちこのコウテイペンギンを含むほんの一部を1897年にウォルター・ロスチャイルド〔135ページ参照〕に売却しました。ロスチャイルドは飽くことを知らない収集家で、ハートフォードシャーのトリングに自ら創設した博物館にコレクションを収め、公開していました。1937年の彼の死後、その博物館は大英自然史博物館に引き継がれ、トリング館として今も一般公開されています。そこでは、多くの標本がロスチャイルド卿時代と同じケースに入って展示されています。

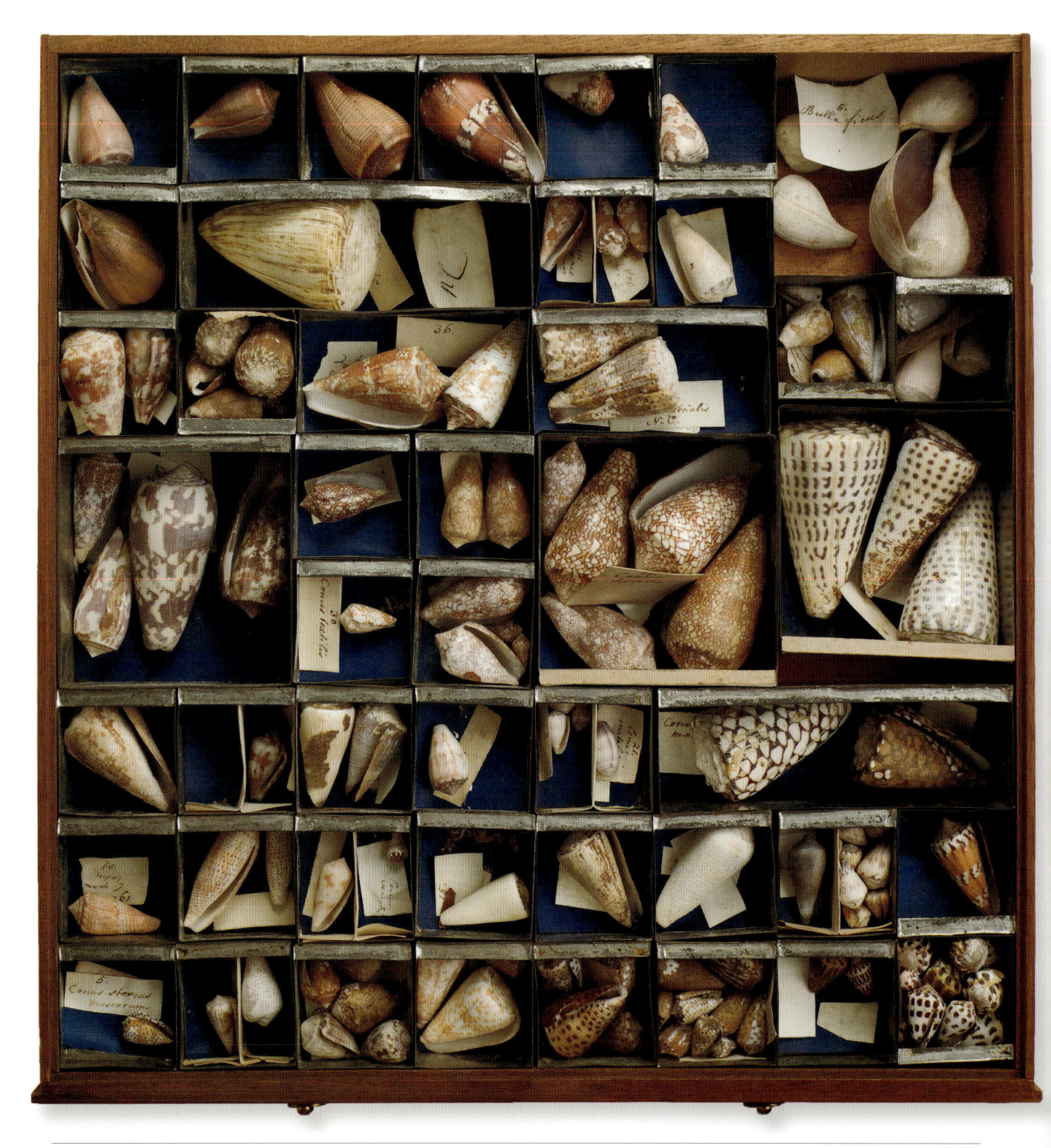

貝殻の標本箱

　貝殻が詰まったこのトレーは、18世紀後半から19世紀初めにかけて最も影響力のある科学者のひとりだったサー・ジョゼフ・バンクス〔27、52、145ページ参照〕の所有物でした。彼は生涯かけて学問を追求し、その足跡は歴史的にも学問的にもこうしたコレクションに輝かしい価値を与えています。写真の貝殻は1863年に小さなマホガニーのキャビネットに入って博物館にやってきました。キャビネットの７つの引き出しには、貝殻が詰まった金属の缶がびっしり並んでいました。当時の大英博物館自然史部門は寄贈された標本であふれかえっており、そのキャビネットは脇に置かれたままになりました。やがて学芸員が徐々に標本の整理や命名や分類に取りかかり、バンクスが遺した「自然界の探究を奨励し推進する」という精神が広がるにつれ、彼のコレクションの重要性や評価が高まっていきました。ここに写っている貝殻は、クック船長のエンデヴァー号での世界周航（1768－1771）に参加したバンクスがブラジル、タヒチ、ニュージーランド、オーストラリアで採集したものです。他に、アフリカ、バハマ諸島、北米、地中海の貝殻もあります。多くは、当時バンクスの助手だった植物学者ダニエル・ソランダーが書いた最初の標本ラベルが一緒に入っています。

史上初の貝殻の本

　これは歴史上初めて貝類だけを扱った本で、1684年にイタリアの聖職者フィリッポ・ボナンニが文章と絵の両方を手掛けて出版しました。彼の絵は、庭のカタツムリなど本物そっくりに描かれたものもありますが、エキゾチックな海の貝殻となると中にどんな生き物が暮らしていたかを想像するほかないため、かなり幻想的な作品になっています。

　この本は自然界の探究への格好の入門書で、他の人々が新たな研究に乗り出したり、この本の間違いを正したりするための土台になりました。ただ残念なことに、この本の絵はすべて前後が逆の鏡像で、貝殻は自然界ではめったに見られない左巻きになっています。これはボナンニが目で見たとおりに絵を描いたためです。それを印刷用の原板にそのまま彫り写して刷ったため、出来上がった本では像が左右反転してしまいました。これはかつて何世紀にもわたってイラスト画家がしばしば犯した間違いです。現代の印刷技術ではその問題はありませんが、それでもいまだに画像が手違いで反転し、間違った向きで印刷されることはあります。

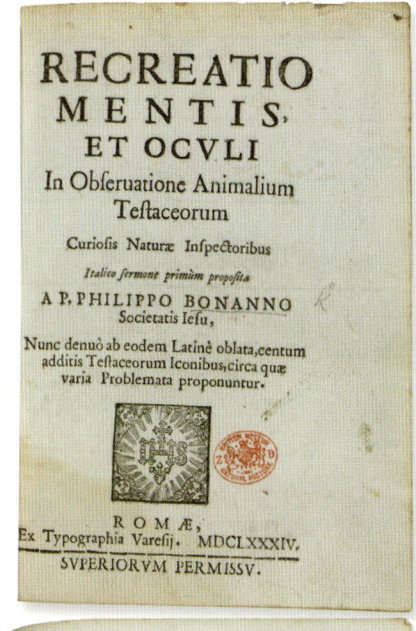

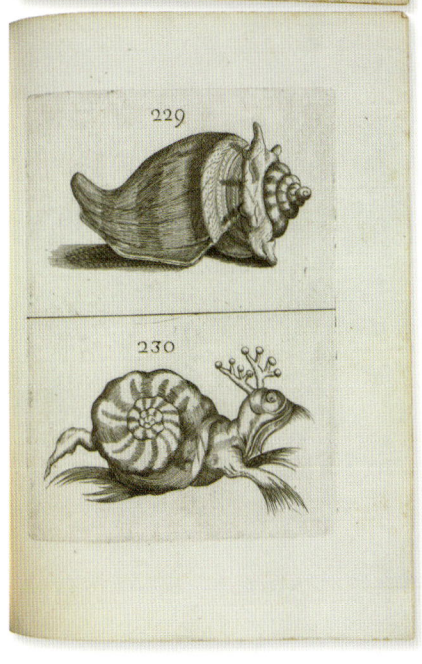

カラフルな巻貝

　鮮やかな色とさまざまな柄の巻貝
は、ちょっと見ると誰かが手描きで
彩色したように思えます。けれども、
これらは自然がどれくらい多彩な作
品を生み出せるかを示す"展覧会"な
のです。もっと驚くべきことに、貝
殻の模様はどれも異なっているのに、
ここにあるのはすべてゴシキカノコ
（*Neritina waigiensis*）という1種の
貝なのです。同一の種でありながらこ
のような見た目の多様性があることを
「多型」といいます。外見が違うこと
でどんな利点があるのでしょう？　そ
の答えは、びっくりするくらい簡単で
す。どれも同じ見た目なら、捕食者は
そのパターンだけを覚えて獲物を探す
目印にすれば十分ですが、さまざまな
パターンがあると捕食者は混乱し、す
べてを記憶するのに長い時間がかか
り、そのぶん貝が生き延びるチャンス
が増えるというわけです。

ニュージーランドのウミツバメ

　この鳥の仮剥製は、ニュージーランドウミツバメ（*Oceanites maorianus*）が絶滅せずに現存していることの証明を可能にした、世界に３点しかない証拠のひとつです。最初にこの種が発見された際の記録はこの標本を根拠にして行われたので、最近捕獲された鳥をこの標本と比較すれば、それまで150年間目撃例がなかったニュージーランドウミツバメが今もなお生き残っているという報告の真偽を検証できます。ニュージーランドウミツバメは19世紀に収集された３点の仮剥製といくつかの化石しか知られていませんでした──2003年にニュージーランド北島の沖で、野鳥観察家グループが空を飛ぶ白と黒の鳥を見かけるまでは。鳥が飛び去るまでほんの数秒だったため、撮影した写真を見てはじめて、翼の下と腹の模様が一番似ているのは絶滅したはずのニュージーランドウミツバメだということに彼らは気付きました。はたしてそんなことがありうるのでしょうか？　写真はインターネットで公開されましたが、専門家の意見は分かれました。もしも同じ年のうちにふたりの野鳥観察家が漁船をチャーターして海に出なければ、真偽はあいまいなままで残ったことでしょう。しかし、海上で魚の切り身を餌に野鳥をおびき寄せていた彼らは、１羽のウミツバメを見ただけでなく、動画の撮影にも成功しました。研究者たちは今や生きた個体も捕獲しており、その個体とこの標本のDNAを比較すれば、長いあいだ失われたと考えられていた鳥が実は生き残っていたのかどうか、はっきり答えが出るはずです。〔なお、近年、標本のDNA鑑定でこの鳥はアシナガウミツバメ属（*Oceanites*）よりもシロハラウミツバメ属（*Fregetta*）に近いことが示されたため、学名を *Fregetta maoriana* とする場合もあります。〕

ハミルトンムカシガエル

　ハミルトンムカシガエル（*Leiopelma hamiltoni*）はおそらく世界で最も稀少な部類に入るカエルです。体長5センチ以下のこのカエルは、ニュージーランドのスティーヴンス島にある1ヵ所の岩畳にのみ生息しています。幸運なことに、大英自然史博物館にはニュージーランドのドミニオン博物館から1922年に寄贈された標本が1点だけ所蔵されています。カエルたちが暮らす苔むした岩場はフロッグバンクと呼ばれ、広さはわずかテニスコート2面分です。カエルは岩の隙間に隠れており、"岩の砦"の上に姿を見せることはまずありません。1915年にドミニオン博物館のH・ハミルトンが最初に発見しましたが、あまりにも目撃報告が少なかったので、ある時点で絶滅したと思われていたほどです。カエルを求めて収集家がやってきても、運が良ければ岩の奥深くで鳴く声が聞こえるだけですし、それすら聞けないことの方が多いのです。何匹が生息しているかは、岩を掘り返さないと数えられないので、推測不能です。1958年に近くのモード島でこれとよく似たカエルが数千匹発見されました。しかし、1998年に行われたDNA解析によって近縁の別の種であることが判明し、再びハミルトンムカシガエルは極めて孤立した種になりました。

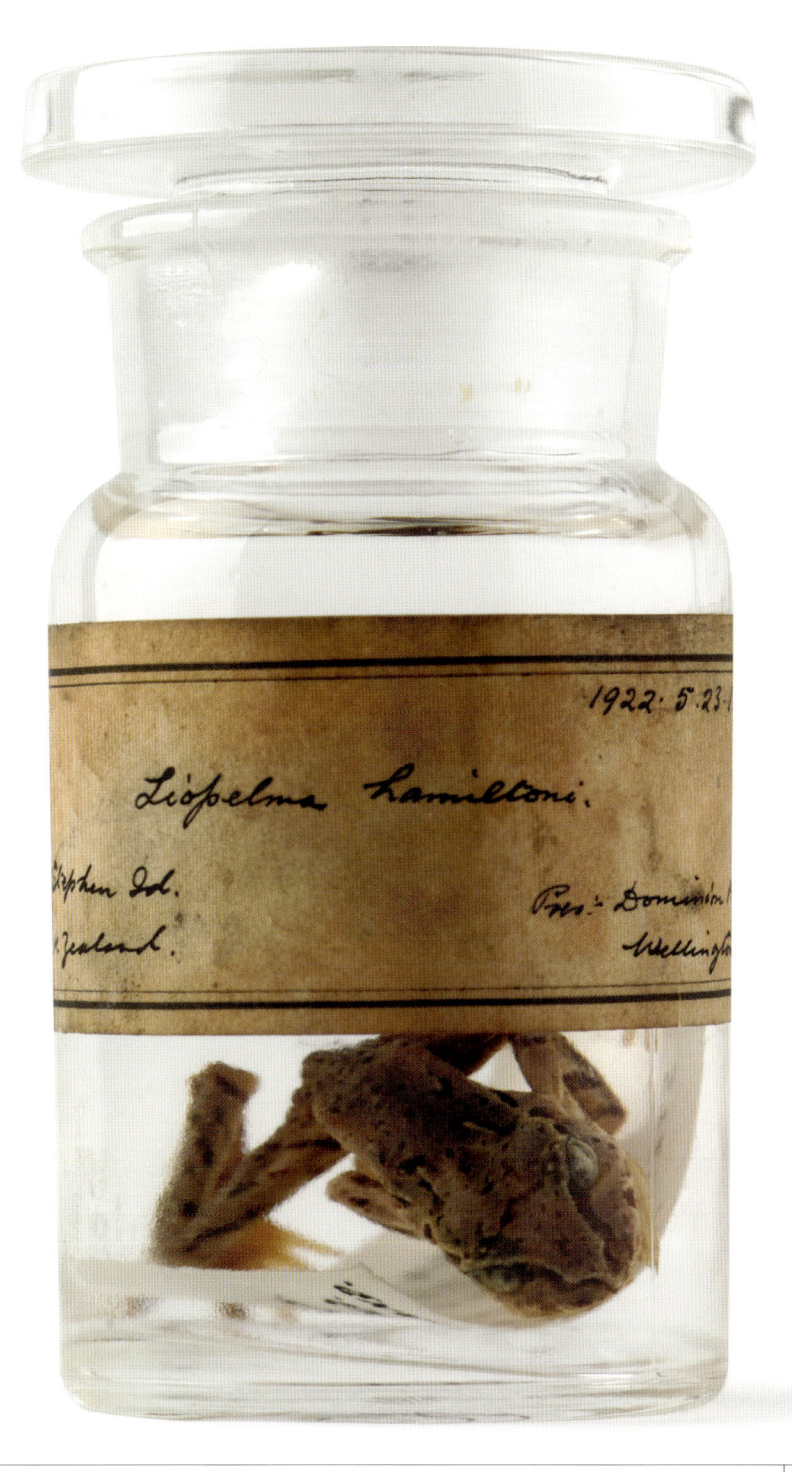

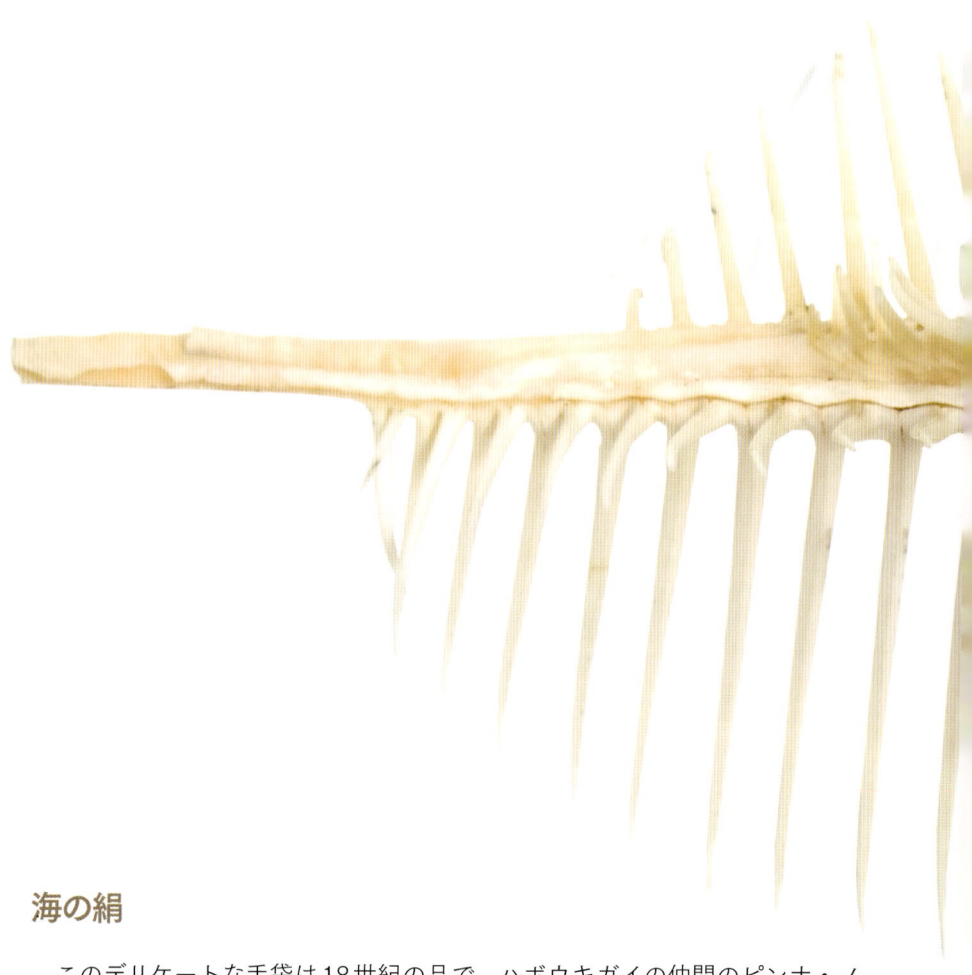

海の絹

　このデリケートな手袋は18世紀の品で、ハボウキガイの仲間のピンナ・ノビリス（*Pinna nobilis*）という貝が出した長い金色の"髭のような糸"で編まれています。地中海の大型軟体動物が作るこの糸は、何百年にもわたって「海のカシミア」と呼ばれて採集され、南イタリアとシチリア、特にプッリャ州ターラントを中心に、関連産業が成立していました。ピンナ・ノビリスは、足にある分泌腺から足糸と呼ばれるブラシのような糸を出し、それで海底に殻を固定します。その糸を集め、洗浄して繊維を揃え、細い糸に紡いで、高価な手袋やショール、さらにはガウンまで作ったのです。ローマ教皇ベネディクト15世とヴィクトリア女王は、足糸製の暖かいストッキングを持っていたとされます。1個の貝から採れる糸はたったの1グラム。そのため、ヨーロッパでは19世紀までに足糸は普通の絹に取って代わられ、第1次世界大戦の直後にこの産業は完全に消滅しました。写真の手袋は自然史博物館が所蔵する6点（3双）のうちの1点です。どの手袋もいまだにすばらしい柔らかさを保っています。

ホネガイ

　ホネガイ（*Murex pecten*）という海生の巻貝は、とりたてて稀少ではありません。しかし、その貝殻の形には思わず目を奪われます。針のように鋭く尖り、奇妙なほど等間隔に並んだ棘で覆われているのですから。写真の貝殻は手のひらに乗る大きさで、まったく欠けたところのない棘を持っています。この棘がなぜ、何のためにあるのか、本当のところはわかっていません。ある説では棘はカニや魚に食べられるのを防ぐ防御用だとされています。貝が軟弱な泥に沈んだり、ひっくり返ったりしないよう、スノーシューズに似た役割を果たすとする考え方もあります。等間隔に並んでいることから、これを檻のように使い、ザルガイなどの動き回る獲物を下に閉じ込めて捕えるのではないかと言う人もいます。肉食性のこの巻貝はインド洋から東はフィジーまでの太平洋の浅い海に生息しています。泥の堆積した海底をはいまわり、殻の細い方の端（水管溝）を通して水を出し入れします。この貝は水管を通して入ってくる海水の"におい"を感じることができ、つねに近くの捕食者や獲物が出す化学信号を嗅ぎつけようとしています。

カッコウの托卵

　鳥類学者エドガー・パーシヴァル・チャンス（1881－1955）が集めた2万5000個の卵のコレクションほど、謎と狡猾さに満ちたカッコウの生活を教えてくれる鳥卵コレクションは他にありません。チャンスは何年もかけて、メスのカッコウがどうやって他の鳥の巣に卵を産むかを白日のもとにさらしました。托卵の場面を最初に動く映像で捉えたのも彼です。彼がこのテーマに本格的に取り組みはじめたのは1918年の夏でした。彼は英国ウースターシャーのとある共有地で、カッコウが好んで卵を托すタヒバリ、ヒバリ、キアオジ、ノビタキの巣を観察しました。カッコウは仮親となる鳥の産卵期に合わせて卵を産むことに気付いた彼は、いつ産みに行けばよいかを知るためにカッコウが仮親の巣を見張っているにちがいないという結論に達しました。そこで彼は翌年同じ場所で、こんどはカッコウを観察しました。

　37個の標本引き出しいっぱいにカッコウの卵と仮親の卵の両方が並ぶこのコレクションは、すべてチャンスと友人たちが集めたものです。一部のカッコウの卵は仮親の卵とそっくりで、信じがたいほどの進化の妙を見せています。チャンスの撮影した映像は、カッコウの無慈悲な托卵方法を詳しく明らかにしました。メスのカッコウはまず仮親の卵を1個捨て、そこに自分の卵を産みます。カッコウの卵はふつう仮親の卵より先に孵化し、仮親から最初に餌をもらいます。さらに、他の卵やヒナを巣の外に押し出してしまうことさえやってのけるのです。

カイメンから、がんの治療薬？

　乳がんの治療の鍵が隠されているかもしれない生物、それがこのディスコデルミア属（*Discodermia*）のカイメンです。実験室の試験では、このカイメンが生成する化学物質は信じられないほどの細胞分裂抑止作用を持つことが示されました。がん細胞が危険なのは急速な細胞分裂をするためなので、もしもそれを抑制できれば、がんの治療に役立ちます。これまでの実験でこの化合物は乳がん細胞の成長を止める効果を持つことが確認されていますが、同時に他の健康な細胞の発達も阻害するので、強すぎて患者に役立つまでには至っていません。とはいえ、適切な濃度が見出されるのは時間の問題かもしれません。ディスコデルミア属のカイメンは北米周辺からカリブ海にかけての海底に固着して暮らしています。危険な生き物が近づいてきても、あるいは上に別の生物が付着して育っても、カイメンは逃げられません。そこで、化学物質を分泌して、身の回りに外敵が近寄ってきにくい環境を作り出しているのです。この分泌物のせいで、カイメン自身が芽を出して繁殖する場合ですら、新しい個体は海流に流されて十分に遠くまで行かない限り成長できません。自然界で病気の治療薬を探す試みは最初に陸上の植物から始まりましたが、次第に海を舞台にした探索も行われるようになりました。自然史博物館には、これまでに医薬品として調査され試験された植物や海産脊椎動物の実物標本と化学物質の両方を収納した"生物資源バンク"があります。

ダイオウイカ

　下の写真の体長8.62メートルのイカが2004年にフォークランド諸島沖で捕獲された時には、大きなニュースになりました。当時、ダイオウイカ（*Architeuthis dux*）についてわかっていることはとても少なかったからです〔近年は日本を含む調査グループによって深海での映像などが撮影され、その生態に関する重要な知見が得られています〕。「アーチー」という愛称が付けられたそのイカは即座に冷凍され、自然史博物館に展示用として送られました。貴重な標本のため解凍には細心の注意が必要で、綿密にモニタリングしながら3日間かけて行われました。最大の課題は、かさの大きい頭や胴と細くて繊細な触手の解凍が同時に終わり、組織のどの部分にも分解が生じないようにすることでした。解凍が終わったダイオウイカは特注のケースに収められ、自然史博物館のダーウィン・センターに展示されました。

　ダイオウイカについて知られている内容の多くは、このイカを餌とするマッコウクジラの胃の中に残っていた死骸を研究して得られたものです。研究者たちはこのイカの寿命がどのくらいか、どういうペースで成長するかを、甲の構造や眼のレンズや平衡石（感覚器）から推測しようと努力してきました。ダイオウイカはおそらく最大で14メートル程度まで育ち、眼球はサッカーボールほども大きく、びっしりと歯の並んだ吸盤と強力なクチバシ（口器）を持っています。しかし、どのように成長し、どうやって交尾相手を見つけるのか、単独行動をするのか群れで生活するのかなどは依然として謎です。深海性の巨大イカには謎が多く、ダイオウイカよりさらに巨大で外套膜(胴)が大きく、もっと重いとみられるイカ（ダイオウホウズキイカ）もいます。下の写真は、ダイオウイカの全身です。

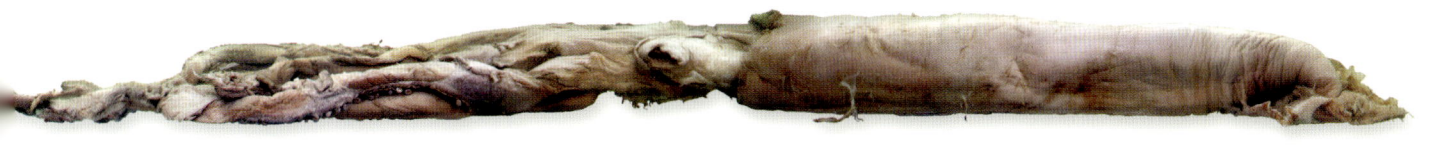

ムカシトカゲ

　ムカシトカゲは、「トカゲ」と名がついていますが、独立目（ムカシトカゲ目）の爬虫類です。古典的な「生きた化石」で、2億2500万年前に今のような姿に進化して以来、見事なまでに変化していません。トカゲに似た体長50センチほどのこの生き物は、1867年にこの標本が再調査されるまで、絶滅したと考えられていました。この標本はそれまではトカゲの1種とみなされていましたが、注意深く身体の構造を調べたところ、実はムカシトカゲであることが判明したのです。ムカシトカゲの野生での目撃例は非常にわずかです。生息地がニュージーランド沖の危険な海域にある30ほどのひどく荒れた無人島だということを考えれば、それも無理はないでしょっ。探検家があえて乗り込んだとしても、ムカシトカゲは夜行性なうえ、さほど活発に動き回るわけでもありません。ムカシトカゲ目はおよそ6000万年前に世界の他の地域では絶滅しました。一部の爬虫類と同様にムカシトカゲには耳の穴がなく、非常に原始的なのでオスに陰茎がありません。現生の爬虫類の大部分は歯が擦り減ったら生え替わりますが、ムカシトカゲの歯は生え替わりません。また、爬虫類の中では最も成長が遅く、性的に成熟するまでに約20年かかり、そのかわり寿命は100年に達します。

上海蟹の厄介な問題

　チュウゴクモクズガニ〔通称「上海蟹」〕の成体はディナー皿〔直径26〜27センチ程度〕と同じくらいのサイズまで育ち、ハサミのまわりに細かい毛がびっしり生えています。まるでウールの手袋をはめているように見えるので、学名はギリシャ語で「中国の羊毛の手」を意味する *Eriocheir sinensis* と付けられました。毛がどういう機能を果たしているかは正確にはわかっていませんが、それよりもっと学者たちを悩ませているのは、ロンドンを流れるテムズ川で大繁殖して1980年代末頃からさまざまな問題を起こしているこのカニをどうすればよいかということです。おそらくヨーロッパ北東部で船のバラスト水のタンクにこのカニの幼生か稚ガニが吸い込まれて、イギリスにやってきたとみられています（ヨーロッパ北東部でも現在このカニが増えすぎて有害生物とされています）。イギリスでバラスト水が放出されると、カニはその周辺の水路や川に広がりました。今やテムズ川には非常に多くのチュウゴクモクズガニが生息しており、川の土手に穴を掘るので、あまりに穴が多くなると土手が崩壊する危険があります。

ハチドリの展示ケース

　数百羽の小さなハチドリでいっぱいのにぎやかな展示ケースは、19世紀の桁外れな贅沢を物語る最高の見本です。ハチドリたちのほとんどは体長が指1本にも満たないサイズですが、このケースはそんなハチドリの多様性と虹色の羽根への讃美にあふれています。この標本がどこから来たのか、誰が買ったのかを記した文書はまったく見つかりません。しかし、これに符合する展示ケースが、ロンドンのピカデリーにあったウィリアム・バロックの博物館によって1819年に競売にかけられています。当時はこのような展示が大人気でした。豪華な鳥たちがまるで雪崩のようです。木製のケースは人の身長くらいで、地衣類が貼り付けられた木の枝に所狭しと鳥が飾られています。どの鳥もまるで生きているかのようにポーズを付けられ、あるものは巣の中の雛の世話で忙しく、またあるものは今にも飛び立ちそうです。ハチドリはとても小さな鳥で、ほとんどの種が体長6センチから12センチ程度しかありません。キューバに生息するマメハチドリに至ってはティーバッグ1袋よりわずかに重いくらいです。メスに比べてオスの方がずっと色がきれいで、美しい光沢のある羽根はメスにアピールすると同時にライバルに強さを誇示する働きを持っています。ハチドリは南北アメリカの全体、アンデスの高地から低地の雨林までに分布しており、今後さらに探索が進めば新種が発見される可能性も高いとされています。

シロナガスクジラの模型

　自然史博物館のシロナガスクジラの模型は、来館者に圧倒的な迫力を感じてもらうために1937年に作られ、以来ずっとその役割を果たしつづけています。全長27メートル、制作当時は世界一大きいクジラの模型でした。あまりに大きすぎるため、作ってから搬入するのではなく、博物館の展示室で一から作り上げられました。地球上で最大の動物の模型を、どうやって作ったのでしょう？　模型制作者のパーシーとスチュアートのスタムウィッツ父子は、過去に捕獲されたり浜に漂着したりしたクジラの記録と写真をもとにして、1936年にまず2メートルの模型を作りました。実物大模型の制作に取り掛かったのは1937年半ばです。体の各部を別々に鋳型に入れて作るのではなく、全身を一体のものとして作ることに決めた彼らは、木材と金網で作ったフレームに直接石膏を塗っていきました。最後に色を塗って完成です。

　それから70年以上経った今でも、クジラは来館者の人気を集めています。ただ、水中撮影の進歩により、現在ではこの模型の形は正確ではないことがわかっています。生きて海中を泳いでいるクジラは、もっとずっと流線型で、魚雷のような形をしています。

　この模型は中空で、当初は腹の中に入るための扉が設けられていましたが、その扉はずいぶん前から塞がれています。スチュアート・スタムウィッツが戦前この腹の中に密造酒製造設備を隠していたという言い伝えがあり、それとは別にタイムカプセルが中に収められているとの噂もありますが、どちらも真相は不明なままです。

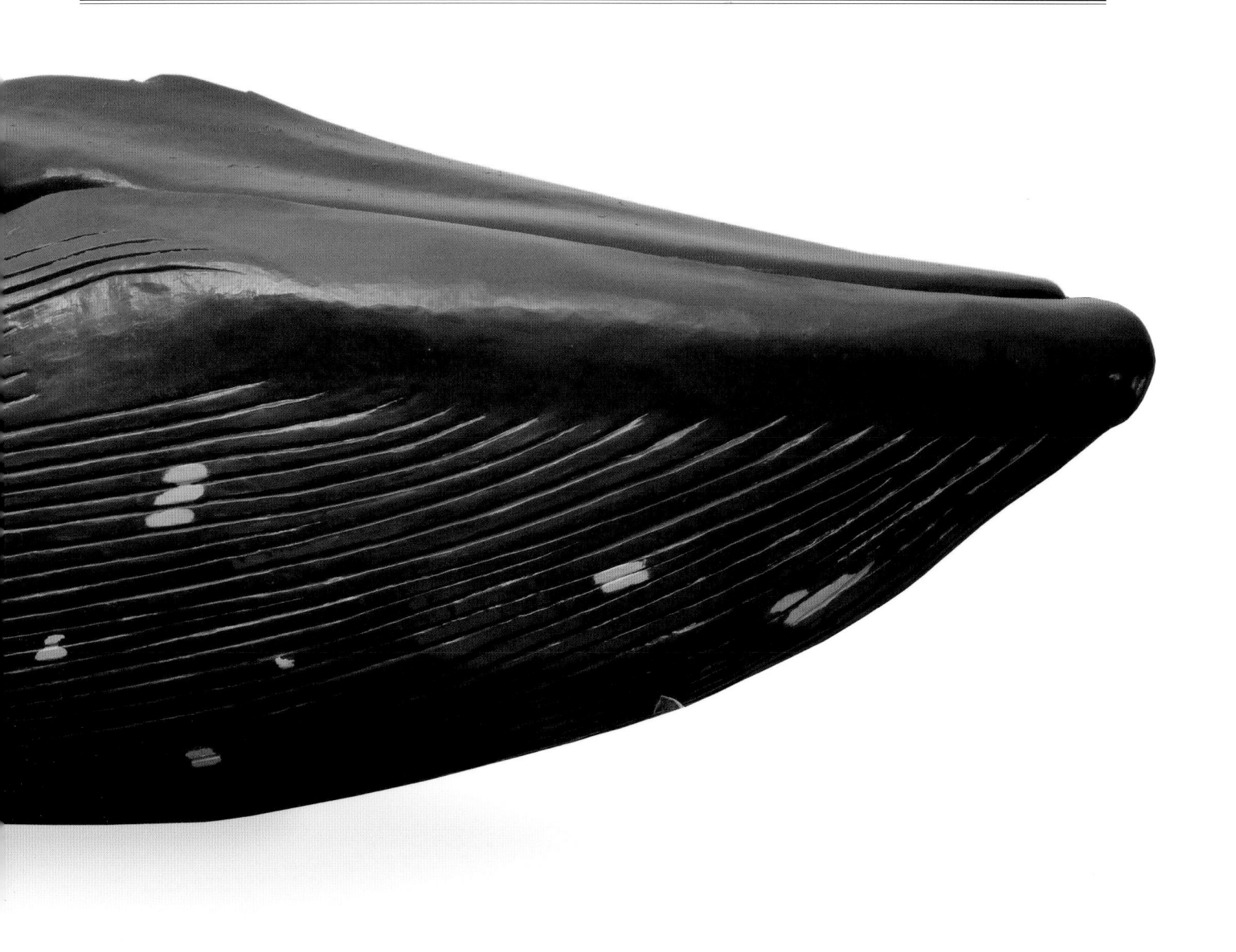

ブラシュカのガラス模型

　自然史博物館が所蔵する数千点の美術作品の中には、海生の無脊椎動物をかたどった精巧なガラス模型182点も含まれています。主として19世紀後半に作られたそのガラス模型は、博物館がガラス工芸家のブラシュカ父子に依頼して作らせたものです。レオポルドとルドルフのブラシュカ父子はボヘミア北部（現在のチェコ）出身で、1886年から1936年にかけて制作したガラスの花が特に有名ですが、自然史博物館のコレクションはイソギンチャク、クラゲ、タコ、イカといった海生無脊椎動物が主体です。模型のうち多くは当時の学術書のイフストに基づいて作られましたが、海水を入れた水槽で飼育されていた個体をもとにしたものや、レオポルド・ブラシュカがアゾレス諸島滞在中に描いたスケッチに着想を得たものもいくつかあります。どれも信じられないほど正確に身体の構造を再現しているうえ、真の芸術作

品としての優美さと魅力を備え、アルコール漬けの標本では失われてしまう繊細な生き物の特徴を見せてくれます。ひとくちにガラス模型といっても、制作にはさまざまな手法が駆使されています。針金の骨格に熱で軟化させたガラスを付けたものもあれば、挽きつぶして粉末にしたガラスに油またはアラビアゴムを混ぜ、透明ガラスのベースに塗ってエナメル加工したものもあります。内部構造は、彩色した紙か貝殻で作られました。制作から100年以上が経ち、どの標本も糊やラッカーの劣化、針のように細いガラスの破損、表面の塵などの汚染のために細心の配慮が必要になっています。

シーラカンス

シーラカンスはおそらく20世紀で最も有名な魚でしょう。ずっと化石でしか知られておらず、奇妙な形の尾びれや分厚い鱗、頭部が骨質の板のようなもので覆われている点など太古の生物の特徴を備えていて、恐竜とともに絶滅したと考えられていました。ところが、1938年に1個体のシーラカンスが南アフリカ沖で漁師の網にかかったのです。それ以降、マダガスカル北西のコモロ諸島付近の深海で体長1メートルほどのこの魚が300匹以上いる群れが発見され、さらに、何千キロメートルも離れたインドネシアでは別の種の2個体が見つかりました。この写真の標本は1960年代に捕獲されたもので、生きていた時は濃い青色をしていました。シーラカンスは大きなひれから「古代の四つ足」の異名を取りますが、この名は科学的にあながち間違いではなく、シーラカンスは陸生の四足脊椎動物の遠い親戚だと考える研究者もいます。シーラカンスが魚と陸生生物を結ぶミッシング・リンクだとする考えは突飛で強引すぎますが、両者が共通の祖先を持つ可能性はあります。シーラカンスは2種とも、絶滅の恐れのある野生生物を記載したレッドリストでもっとも絶滅の危険性が高い「近絶滅種（CR）」にランクされています。

200

ゴリラのガイ

　ガイという名のこのゴリラは、ロンドン動物園で最も愛された動物のうちの1頭です。1946年に仏領カメルーンで生まれた彼は、わずか1歳の時にパリ動物園のために捕獲され、同じ年に湯たんぽにしがみついてロンドン動物園にやってきました。飼育員の間では怒りっぽいという評判で、成体になった時には体重240キロの巨漢でしたが、根は優しく、ゴリラ舎に迷い込んだスズメを注意深くすくいあげ、じっと見つめてから放してやることで知られました。ガイはニシゴリラ（*Gorilla gorilla*）です。ニシゴリラは一般にヒガシゴリラ（*Gorilla beringei*）よりわずかに小さいとされていますが、それでも霊長類最大級であることに変わりはありません。体が大きく力も強いにもかかわらず、ゴリラの食べ物はもっぱら植物です（時には昆虫も食べます）。ガイは1978年、歯の手術中に心臓発作を起こして死亡しました。顎は膿瘍だらけで、折々に不機嫌だったのはそのためかもしれません。自然史博物館の主任剥製師アーサー・ヘイワードの手で9ヵ月近くかけて剥製にされたガイは、1982年に展示されましたが、その後学術研究用コレクションに移されました。

象牙の再会

　これは記録に残る中で最も重い象牙です。タンザニアのキリマンジャロ山近くで射殺された並はずれて大きいオスのアフリカゾウのもので、歳月で目方がいくらか減ったとはいえ、今も片方だけで重さが約100キログラム、長さは3メートル以上あります。2本の象牙は1898年にアフリカの東に浮かぶザンジバル島で別々に売りさばかれ、以後30年以上離ればなれでした。2本のうち重い方は大英博物館自然史部門（現在の大英自然史博物館）が買い入れました。軽い方は、イングランドのシェフィールドにある金属食器メーカー、ジョセフ・ロジャース社の象牙買付人だったウィリアム・B・ハットフィールドが購入し、同社ショールームのエントランスホールに飾られました。1933年に博物館がジョセフ・ロジャースの象牙を買い取り、2本はようやく再会を果たしたのです。

コモド・ドラゴン

　1912年に発見されたコモドオオトカゲ (*Varanus komodoensis*) は全長が2〜3メートルにもなる地球上で最大のトカゲで、コモド・ドラゴンとも呼ばれ、インドネシアのバリ島の東に連なるいくつかの荒涼とした島にのみ生息しています。この写真の標本は全長259センチです。気性が荒く獰猛な生き物であるため、若いコモドオオトカゲでさえ成体には近寄らず、生まれてから数年は、地面を闊歩する大人に食べられないように木の上で暮らします。このトカゲは完全に肉食で、針のように鋭く尖り後ろ向きにカーブした歯で、ブタでもシカでもヤギでも肉を引き裂いて食べます。ガツガツと食べるためしばしば自分の歯茎も噛んでしまい、口の中は血と唾液でいっぱいで、細菌の温床になっています。馬のような大型動物を倒す際には、獲物のお尻のあたりにかみついて唾液の中の細菌を注入し、弱らせてから食べます〔最近の研究で、コモドオオトカゲがヘモトキシンという毒を持っており、それを獲物に注入しているとの説が提出されています〕。自然史博物館には少なくとも4点の標本があり、いずれもロンドン動物園からやって来ました。そのロンドン動物園では、オスがいないにもかかわらず一部のメスが産卵してその卵が孵化したことを飼育員が発見しました。これにより、コモドオオトカゲのメスにはオスなしで胚を形成する単為生殖能力があることが明らかになりました。

動物学 | 203

エジプトのネコのミイラ

　2000年と少し前、古代エジプトのある人が飼いネコに丁寧に防腐処置を施して布でくるみ、動物の頭を持つ神への供物としました。何百万匹もの動物がこのネコと同じように殺されました。最も多いのはヒヒ、ネコ、ハヤブサですが、ジャッカル、トガリネズミ、魚、牝牛、さらにはワニのミイラまであります。ペットが飼い主と一緒に埋葬されることもありました。この標本は1914年にある姉妹が土産物として購入した後に大英博物館に寄贈したもので、自然史博物館が大英博物館から独立した後の1965年に他の250点以上の動物ミイラとともに移管されました。このミイラの制作には優れた技術と多くの時間が必要だったことでしょう。まず、魂の象徴である心臓だけは残してそれ以外の内臓を取り除きます。空洞に塩を入れて乾燥させた後、亜麻布を詰め、乳香と没薬を塗って長い布で巻きます。四肢とヒゲと尾はそれぞれ別にくるまれました。ネコのミイラのほとんどは、ブバスティスという都市のバステト神の神殿で見つかっています。バステトは猫の女神で、ブバスティスはバステト信仰の発祥地です。ネコ用の墓地にミイラが埋葬されることもあり、なかにはネコの形の棺に入れて葬られた例もあります。

MUMMIFIED CAT.
TEMPLE OF BUBASTES, NEAR ZAGAZIG, EGYPT.
Presented by the Misses Villeneuve-Smith, 1914.

サイチョウ

　このサイチョウの頭骨には学術的な価値はそれほどないかもしれませんが、自然史博物館の歴史の証言者という意味ではこのうえなく重要です。くちばしに記された2種類の登録番号が、250年以上にわたる博物館の歴史の異なる時期を物語っているからです。学術的にかけがえのない価値を持つ標本がある一方で、歴史の語り部として大切な標本もあり、このサイチョウは後者にあたります。この標本は、最初はサー・ハンス・スローン〔23、66、69、152、166ページも参照〕の所有物でした。上の部分に書かれた文字は、1700年代にスローンが入手して目録に書き込んだ時のものです。1753年にスローンが死去すると、彼のコレクションをもとにしてロンドン中心部のモンタギューハウスに大英博物館が設立され、そこで標本の目録作成と整理が行われました。歳月とともに自然史コレクションの数が増えて手狭になり、新しい収容場所が必要になりました。そこでサウスケンジントンに建てられて1881年にオープンしたのが大英自然史博物館です。この標本の下の部分に書かれたふたつの登録番号は、1952年に目録記録が作り直された時に記入されました。自然史博物館の鳥類コレクションは1970年代初めにトリング館〔旧ロスチャイルド動物学博物館〕に新たに建てられた専用の建物に移され、今も世界中の研究者を引き寄せています。この頭骨は、合計で115万点にも及ぶ鳥の仮剥製、骨格、巣、卵、アルコール液浸標本コレクションのひとつとして保管されています。新事実の解明や新種の鳥の発見につれて、コレクションは増えつづけています。

グアムから来た巣と卵

　この巣と卵は、1894〜1895年にグアム島で採集されたミクロネシアミツスイ〔上の巣と卵および右下の写真の大きい箱〕と、オウギビタキ〔右下の小さい箱2個〕のものです。西太平洋に浮かぶグアム島では、当時こうした野鳥があたりまえに見られました。しかし数十年後、彼らに災厄が降りかかります。1940年代末か1950年代初めに、ミナミオオガシラという凶暴で木に登ることのできるヘビが島に入り込んだのです。おそらく南のソロモン諸島から船で"密航"してきたのだろうと考えられています。最初は誰も気付きませんでしたが、すぐにこのヘビは繁殖してどんどん増えました。ヘビの天敵がいないうえ餌になるトカゲが豊富だったため、多くのヘビが成体になるまで生き延び、1平方キロに数千匹のヘビがいる状態になりました。そしてこのヘビは、グアム島の森に生息していた11種の野鳥のうち、上記の2種を含む9種を絶滅に追いやったのです。今やグアムのミナミオオガシラは増えすぎて根絶は不可能ですが、犬を連れた警官が空港と貨物の積み下ろしエリアをパトロールして、ヘビが他所へ密航しないよう見張っています。写真の巣と卵は、情熱あふれる収集家だったウォルター・ロスチャイルド卿〔135ページ〕のために採集されたものです。彼は財政状態が悪化した時に鳥の仮剝製コレクションの大部分をニューヨークのアメリカ自然史博物館に売却しましたが、写真の標本をはじめとする数千点の卵と巣は自身の希望で手元に残しました。1937年の卿の死後、数千点のコレクションは自然史博物館に引き継がれました。

パパ・ウェストレイの
オオウミガラス

オオウミガラス（*Pinguinus impennis*）は、人間が自然界にどれほどの損害を与えることができるかを雄弁に語るシンボルです。このオスのオオウミガラスは、スコットランド北東沖のオークニー諸島に属するパパ・ウェストレイ島で1813年に捕えられました。英国に生息していたオオウミガラスの、現存する唯一の標本です。彼は、英国に残った最後のつがいのオスでした——ペアになっていたメスは、このオスが捕まる前年に殺され、卵も壊されました。ペンギンに似たこの鳥が絶滅したのは、生息環境が失われたためではなく、人間が乱獲したからです。人を怖がらないこの鳥は、カナダ東岸沖からグリーンランド、アイスランド、スコットランドにかけての岩だらけの島々で、夏場に大きな群れを作って子育てをしました。無数のオオウミガラスの群れは壮観でしたが、ハンターにとってみれば殺し放題でした。オオウミガラスの肉と卵、さらにマットレスの詰め物にする羽毛を狙って、数百年にわたって虐殺が繰り広げられました。1800年頃に生息数が極めて少なくなると、コレクターたちは卵1個や皮1枚だけでも欲しがって値をつり上げました。地上最後のつがいはアイスランドのエルデイ島で1844年にハンターに殺され、たった1個の卵も割られてしいました。

ジョーズ ── ホホジロザメの顎

　このホホジロザメ（*Carcharodon carcharias*）の上下の顎はオーストラリアのポート・フェアリーからやって来ました。自然史博物館にはこうした顎が多数収蔵されています。ホホジロザメの顎には恐ろしい歯がこれ見よがしに並んでいます。ホホジロザメが獲物を襲う場面をハイスピードカメラで撮影した映像から、必殺の噛みつきは5段階に分かれていることがわかりました。サメはまず鼻先を持ち上げ、それから下顎を下げます。次いで、上の顎を前へ押し出して鋭い歯をむき出しにします。その後、下顎を上げながら押し出して上下の歯をかみ合わせ、口を閉じます。最後に鼻先が下降してもとに戻った時には、サメの口の中は肉でいっぱいになっています。実はサメの咬合力〔かみしめる時に歯にかかる力〕は60キログラムで、人間（45〜68キログラム）の方が強いくらいです。それでもサメの噛みつきが大きな威力を持つのは、口が大きいことと、多数の鋭い歯があることと、顎を前に押し出せるからです。

稀少な二枚貝の殻

　フォラドミヤ・カンディダ（*Pholadomya candida*）という二枚貝の殻の標本は、世界中の博物館に12点しか存在しません。大英自然史博物館はそのうち3点を所蔵しています。極めて珍しくて繊細なこの二枚貝は、3億5000万年前から海中で繁栄してきた軟体動物の1グループの最後の生き残りです。標本として保存されている12個の貝殻の大部分は19世紀半ばにカリブ海のヴァージン諸島付近で発見されました。しかしそれ以来ひとつも見つかっておらず、絶滅した可能性もあります。この貝の体の構造についての知識はすべて、1835年に採集されてコペンハーゲンの動物学博物館にアルコール漬けで保存されている1点の標本から得られたものです。しかも、詳細な研究が行われたのは1978年になってからでした。もう1点、中身まで保存された標本があったのですが、第2次世界大戦で失われてしまいました。その標本は、実は1840年代に解剖学者のリチャード・オーウェン（当時は王立外科医師会会員、後に大英自然史博物館初代館長）によって調査されています。けれども、彼の報告書はとうとう出版されずに終わりました。決定的に重要な図版を出版社が紛失したためでした。

小さな小さなカタツムリ

　東南アジアに生息するノタウチガイ（*Opisthostoma*）という陸生の巻貝（カタツムリ）は、このページの活字１個と同じくらいの超ミニサイズでありながら、その構造は超絶技巧を凝らした建築物のようです。繊細で壊れやすい白い貝殻は、あまりに薄く小さくて、向こうが透けて見えるほどです。種ごとに独特な形をしており、特徴的なトランペット型の開口部が横に出ていて、短いトゲやねじれたりそりかえったりした部分がくっついています。生息場所によってトゲの形や数が違い、面白いことに、敵がどの角度から襲ってくるかによって違っている可能性さえあります。天敵のナメクジがこの巻貝を食べる際、あるものは上から攻撃して殻に穴をあけ、あるものは下から襲います。生息地のナメクジが上と下のどちらから襲ってくるかに応じてこの巻貝のトゲが上に多いか下に多いかが決まるのかどうか、それを調べる試験が現在行われています。ノタウチガイは石灰岩の露出した丘陵でしか生きられず、コケや藻類を食べて生活しています。比較的近い場所に住んでいる種同士でも、それぞれの生息地の間が石灰岩以外の地面で隔てられていると、そこを越えて移動ができないため、互いに外見が大きく異なります。この巻貝を見つけるためには石灰岩の露頭の表面で生きた個体を根気よく探すか、落ち葉をふるいにかけて空っぽの殻を探すかしなければなりません。

パンダのチチ

チチはおそらく世界一有名なジャイアントパンダ（*Ailuropoda melanoleuca*）でしょう。彼女は幼獣の時に中国西部の山岳地帯（野生のパンダが生息する唯一の地域）で捕獲され、ロンドン動物園で14年にわたって市民に愛されました。1972年に死亡すると毛皮が自然史博物館に寄贈され、剥製となって、生きている時と同じようにタケを食べる姿で展示されています。ジャイアントパンダは生息数が少なく、危機的な状況にあります。原因は生息環境の破壊と繁殖率の低さで、特に飼育下での繁殖は容易ではありません。飼育されると、特にオスの性欲が減退するらしく、チチもアンアンというオスとの交配が2度試みられましたがいずれも失敗に終わりました。飼育下で生まれたオスが繁殖に成功した例は、ごくわずかしかありません。パンダはまた、野生ではほとんどタケのみを食べているので、タケがないと生きていけません。ところが、タケという植物は一度開花すると枯れてしまい、新しい株が成長するまでに十年かかります。昔なら、ある場所のタケが枯れても別の山へ移動して成熟したタケを見つければよかったのですが、今は人間による開発のせいでそれが困難です。中国ではジャイアントパンダ保護団体が活動しており、パンダの孤立を防ぐための方策、たとえばタケが生育する地域同士を結ぶ安全な「タケの回廊」を作るといった方法が試みられています。

Mineralogy

鉱物学

サファイアのオーナメント

　インドのマハラジャに似合いそうな、精巧で華麗なオーナメント。人間の目玉ほどの大きさで、中央にはローズカットで仕上げた深いブルーのすばらしいサファイアがはまっています。これを所有していたサー・ハンス・スローン〔23、66、69、152、166ページ参照〕は、「深みのあるこのうえなく美しい色の大きなサファイアが、金の象嵌細工をほどこした水晶のボタンにはめ込まれている」と描写しています。スローンのコレクションが大英博物館の所蔵品の中核となり、後にその一部が自然史博物館に移管されたため、この品はもう250年以上も前からの収蔵品です。このサファイアは深い青色に見えますが、近年の調査により、青い色があるのは上部だけで残りは透明に近いことが明らかになりました。青い色は結晶構造の中に微量の鉄とチタンが不純物として入っているためで、不純物の分布のしかたによっては部分的に色が付くのです。透明な部分は価値が低いので、宝石細工師は巧みに形を取り、濃い青の部分を最大限利用して、全体が青く見えるように原石を研磨したのでしょう。サファイアの周囲を飾っている赤と緑の小さな宝石はルビーとエメラルドです。

ブルーサファイア

　このスリランカ産の2個のサファイアは、一般の人の目に触れることの少ない、カット前の原石です。サファイアの原石は多くの場合、下の写真の87カラットの石のように両端が細くなった紡錘形をしています。それが、たとえば長い歳月を川の中でころがりながら過ごして角が取れて滑らかになると、右ページの磨いた石のように丸みを帯びた形になります。こちらの石は223カラットで、大人の親指くらいです。これくらい大きくて質の高い石——とりわけ、スリランカ産サファイア独特の軟らかいブルーが均質に広がる色合いを持つ石——で、研磨師にカットされていないものは、めったにありません。スリランカは世界最高級のサファイアの産地です。複雑な地質構造を持つこの島はサファイアに限らずトパーズ、アメ

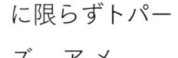

ジスト、ガーネットなど良質の宝石を多く産出し、インド洋の宝石箱と呼ばれています。16世紀初めに初めて到来したポルトガル船の船員たちが宝石をヨーロッパへ持ち帰ったことがきっかけで、産地として広く知られるようになりました。〔不純物を含まない〕純粋結晶であれば無色なコランダム（鋼玉）という鉱物のうち、不純物によって赤以外の色になった宝石グレードのものがサファイアで、青は鉄とチタンの不純物によって生み出されます。スリランカのサファイアは、含まれる不純物が何かによって、青、茶色系統、黄色、オレンジ、ピンク、紫、緑、無色、さらには青と黄色の縞まで、さまざまな色のものが見られます。光源の種類によって色が変わるサファイアもあります。

サファイアの仏像が付いたピン

　2センチにも満たない小さな仏像の細工の細かさは注目に値しますが、それ以上に、これが地球上で2番目に硬い宝石であるサファイアを彫って作られていることは驚異的です。このピンの歴史はほとんど知られていませんが、素材の稀少性やそれをカットするのに必要な技巧から考えて、王族の持ち物だったに違いありません。深いブルーの色合いは、ビルマ（ミャンマー）産のサファイアに似ています。仏像が最初にあり、ずっと後の19世紀半ばにそれが金のネクタイピンに取り付けられました。自然史博物館のコレクションにはこれに似た品は他にありません。サファイアは非常に硬いので、彫刻するにはそれ以上に硬い物を使う必要があります。この像を彫る際は、おそらく別のサファイアを使用したのだろうと考えられています。このうえなく精妙なこの仏像は、携帯用の厨子か仏塔に入れて持ち運ぶために作られたのかもしれません。

パパラチアサファイア

　パパラチアサファイアは、コランダム（鋼玉）のなかでもとりわけ珍しい色の石で、主にスリランカで産出しますが、近年はベトナム産のものも出てきています。色合いは言葉ではなかなかうまく説明できませんが、一般にはピンクとオレンジの中間色と言われたり、蓮の花の色とスリラ ンカの夕焼けの色の間と表現されたりします。非常に珍しい色のため、コランダムとしては最も高い値が付きます。この写真の石は最高に質が良く、また57カラットと大きさも最大クラスです。あまり見かけない六角形の変わったカットが、宝石の魅力をいっそう引き出しています。

宝石の中に見える星

　サファイアというだけで高い価値があるというのに、なかには、光があたると石の内部に輝く星が現れていっそう珍重されるスターサファイアと呼ばれるものもあります。これはサファイアが結晶化する際、内部にルチル（二酸化チタン）という鉱物が細い針状の繊維の束のような形で形成されたことで生じる効果です。そうしたサファイアは、適切な向きにカットすれば、絹のような針状線維が光を反射して、星が見えます。

　スターサファイア、なかでも特に色が美しく星が中央寄りにくっきりと浮かび上がるものは、コレクターがのどから手が出るほど欲しがる品です。繊維の束が一方向のみを向いているとキャッツアイ効果〔猫の目のような光の筋〕が生まれますが、サファイアでは鉱物の対称性によって光の筋が六方に放射して星が現れます。他の鉱物では四方放射や八方放射の星もあります。

イエローサファイア

　スリランカは淡いブルーのサファイアだけでなく、濃い黄色からごく薄い色まであらゆる色合いのイエローサファイアを産出することでも有名です。101カラットちょっとのこの石は並はずれて大きく、深みのある黄色と高い透明度で珍重されています。自然史博物館は1874年にこの宝石を入手しました。

大理石の中の天然ルビー

　ルビーの原石が、形成された場所である大理石の中に埋まっている標本はきわめて珍しいものです。たいていの人が目にするルビーは取り出されてカットされています。そのほうが未研磨の石よりもずっと価値が高いとみなされるからです。大理石の母岩に付いたクルミ大のこの結晶は、1973年に自然史博物館の所蔵品に加わりました。特筆すべきは、この石が世界一有名なルビー産地であるビルマ（ミャンマー）のモゴックで採れたことです。モゴックの鉱山は千年以上にわたってすばらしい宝石を産出してきたことで知られます。宝石学の専門家の間では、ルビーはビルマ産が最高だとされています。モゴックの谷は農地と密林と山脈に囲まれた地にあります。ルビー鉱山は市内や周囲の丘陵地に点在し、単純な露天掘りから大理石の丘に掘った深いトンネルまでさまざまな採掘方法が行われています。宝石を含んだ岩は掘り出され、運び出され、処理されてルビーが取り出されます。大手の業者から地元の人々まで、何らかのかたちでルビー産業の恩恵を受けているといえます。コランダム（鋼玉）のうち色が赤いものがルビーで、人々を魅了するその紅は、不純物として含まれる微量のクロムによって生み出されます。

エドワーズ・ルビー

　ヴィクトリア朝の美術・社会評論家ジョン・ラスキンは、ゴルフボール大（167カラット）のゴージャスなルビーを所有していました。彼はそのルビーを自然史博物館に寄贈するにあたり、ひとつ条件をつけました。それは、次のような説明とともに展示することでした──「エドワーズ・ルビー。1887年にジョン・ラスキンより寄贈。インダス川流域を治めたサー・ハーバート・エドワーズの不屈の軍人精神と愛情に満ちた公平さを讃えて」。自然史博物館の理事会が寄贈者のこうした要望を受け入れることなどめったにありませんが、ラスキンは非常に説得力のある主張を展開したのでしょう。なにしろ彼は歯に衣着せぬ言論で有名だったのですから。

　ラスキンが敬意を表したサー・ハーバート・ベンジャミン・エドワーズ少将（1819–1868）はイギリスの軍人で、インドの独立戦争（インド大反乱）という危機的状況の際にアフガニスタンとの友好関係を保ち、パンジャブ地方の平穏を守って、インドにおけるイギリスの支配権の維持に貢献したことで知られます。

天然ルビーの結晶

　この巨大なルビーはなんと1085カラットもあり、自然史博物館のコレクション中でも最大クラスのルビー結晶です。ビルマ（ミャンマー）のモゴック鉱山で産出し、1924年に自然史博物館がビルマ・ルビー鉱山社から買い入れました。世界で最も高品質のルビーが採れることで有名なモゴック鉱山のルビーは他国産のルビーよりも強い蛍光性を持つものが多く、この蛍光によって色がより鮮やかになるため、コレクターにはたまらない魅力になっています。タイなど他の産地のルビーは不純物の鉄の量が多く、ビルマ産と比べると濁って見えることが多いのです。ルビーの深みのある赤い色ゆえに、<ruby>古<rt>いにしえ</rt></ruby> のビルマには「ルビーを肌に埋め込んでおけばあらゆる災厄から守ってくれる」という神話がありました。西洋では、ルビーは不幸を予言すると考えられていました。英国王ヘンリー8世の最初の妻でスペインから輿入れしたキャサリン・オブ・アラゴン（1485–1536）は、所有するルビーのひとつが黒ずんだのを見て、自分の身にまもなく不幸が降りかかるのを悟ったと言われます〔彼女はヘンリー8世に離縁され、ヘンリーは離婚を認めないローマ・カトリックから英国国教会を分離させました〕。

　産地の鉱山周辺では掘り出した原石を市場で売っています。そこでは商品の石の上にピンク色の日傘をさしかけていますが、これはルビーがより魅力的に見えるようにするための工夫で、ピンクのキャンバス地ごしの朝日を浴びるとルビーの色合いが一段と鮮やかになります。

イミラック隕石

　これは、チリのアタカマ砂漠のイミラック付近で発見されたパラサイト隕石（石鉄隕石）をスライスした、思わず目を見張る標本です。もとの隕石はこれまでに見つかった中で最も大きいパラサイト隕石のひとつで、このスライスは55×45×0.9センチあります。パラサイト隕石は鉄−ニッケル合金とケイ酸塩鉱物からなり、小惑星の中で形成されました。鮮やかなオリーブグリーンのかんらん石結晶が含まれていることから、珍重されています。何十億年もの昔、放射性同位体の壊変に伴って放出された崩壊熱で多くの小惑星が高温になり、時には融解しました。融けた物質のうち比重の大きい金属が小惑星の中心部へ沈んで金属質の核となり、それより軽いケイ酸塩は外側でマントルと地殻を作る、分化と呼ばれるプロセスが起きました。パラサイト隕石は、分化した（融解した）小惑星内部の鉄−ニッケルの核と岩石のマントルの境目の部分だと研究者たちは考えています。このような隕石が地球上で見つかるのは、偶然がいくつも重なったきわめてまれな出来事です。まず、小惑星が他の小惑星との衝突でバラバラに壊れ、かけらが宇宙にまき散らされます。かけらのうちのいくつかが、はるかな時を経て地球軌道上に流れ着き、地球に落下します。さらにそのうちの一部だけが、大気中で燃えつきずに地表にたどりつきます。それを運よく人間が見つけた時、初めて隕石は人の目の前に現れるのです。

ナクラ隕石

　この隕石は、火星から来た隕石としては大きなもので、1911年に地球に落下しました。赤い惑星（火星）由来として知られる200個弱〔2016年時点〕の隕石のひとつです。およそ1100万年前に大きな小惑星か彗星が火星に衝突し、衝撃で火星表面の岩石が宇宙空間にはじき飛ばされ、そのひとつがはるかな年を経て地球に落下したものと考えられています。このかけらの表面の一部には、地球の大気圏を通過する際に熱で融けた跡が真っ黒く見えます。ナクラ隕石の破片のデータを火星探査機から送られたデータと比較した結果、この隕石が火星から来たことが確認され、謎の多い火星についての貴重な情報が得られています。また、隕石内部の粘土鉱物は、生命にとって必須の成分である水が火星に存在していたことを示す証拠です。

モルガナイト

　鮮烈なピンク色をしたこの宝石は、透明度と輝きが際立つように注意深くカットされています。まったくの無傷、そのうえ600カラットもあり、世界最大のモルガナイトのひとつです。アフリカ東岸沖に浮かぶマダガスカルで産出した標本で、1913年に自然史博物館の所蔵品に加わりました。マダガスカルでは目を見張るほど良質のモルガナイトがいくつか見つかっていますが、モルガナイト全体として見ると、ほとんどはカリフォルニアとブラジルが産地です。

　モルガナイトは、ベリルのうちマンガンを含んでピンク色になったもので、宝石業界ではピンクエメラルドという名でも流通しています。モルガナイトという名前は、ニューヨークの銀行家 J・P・モルガン（1837－1913）にちなんで1911年に付けられました。モルガンは熱心な宝石・鉱物コレクターで、生前はアメリカ有数の宝石コレクションを所有し、それらをニューヨークのアメリカ自然史博物館に遺贈したことでも有名です。

アクアマリン

　アクアマリンはそれほど稀少な鉱物ではありませんが、この標本のように大きなものはめったに見られません。ロシア産のこの巨大な宝石はサイズが48×65ミリで、重さは898カラットあります。大きいだけでなく、内部にレイン（雨）と呼ばれる平行な線が見えるのも特徴です。このレインは、中空または液体で満たされた極細のチューブ状インクルージョン〔鉱物に入っている小さな結晶などの異物〕によるものです。「海の水」を意味するラテン語から名付けられたアクアマリンは、ベリル（緑柱石）という鉱物のうち薄い青から濃い青までの色を持つもので、この色は不純物として含まれる2価の鉄イオンによって生み出されています。

エメラルド

　著名な鉱物学者でコレクターでもあったジェームズ・サワビーは、19世紀初めに自然史博物館のエメラルド・コレクションを見て、「コレクションの誇り」と評しました。下の写真はほんの一例です。鮮やかなディープグリーンはコロンビア産エメラルドならではの色です。コロンビアは昔から、世界最高品質の宝石用エメラルドの主要産地として知られています。実際、あまりに質の良いエメラルドが採れるので、16世紀にスペイン人が侵攻した際には主要なターゲットのひとつにされました。先住民のムソ族は宝石採掘地の秘密を守ろうと必死の抵抗をこころみましたが、結局はスペイン人侵略者の前に敗れ去りました。ひとたびサンプルがヨーロッパに送られるや、エメラルドの人気は揺るぎないものとなりました。今でも、良質のエメラルドは良質のダイヤモンドより高価なことがあります。このエメラルドは1810年に個人のコレクター（おそらくチャールズ・グレヴィル閣下）から博物館が入手したものです。グレヴィルは非常に重要な鉱物コレクションを所有していました。自然史博物館はサー・ハンス・スローンの膨大なコレクションのうち自然史関係の標本をもとにして創設されましたが、スローンのコレクションには鉱物は少なく、その少数も彫刻や加工がほどこされた品が主体でした。自然史博物館の鉱物学関係の所蔵品の真の基盤になったのは、グレヴィルの1万4800点ほどの標本です。その購入のための特別なお金は、英国議会の承認を得て支払われました。

太陽の贈り物 —— ヘリオドール

　大きくて美しいこの石は、温かみのある黄色のすばらしさで知られています。ヘリオドールという名前はギリシャ語で「太陽の贈り物」を意味し、その色からの連想で名付けられました。四角くカットされたこの写真の石は長辺がおよそ4センチ、重さは133カラットで、1960年から自然史博物館が所蔵しています。エメラルドやアクアマリンと同じく、ヘリオドールも鉱物としてはベリルです。ベリルに含まれる微量の元素によって、ローズピンクのモルガナイトから青いアクアマリンまでさまざまな色になります。ヘリオドールの黄色は、3価の鉄イオンが含まれているためです。美しい色ですが、黄色から緑色の石としては、もっと色味の強い別の宝石の方が人気が高いため、ヘリオドールを使った宝飾品はあまり見かけません。

トルマリン

　この華麗なトルマリンは、ウォーターメロントルマリンという名でも知られています。結晶をスライスすると、スイカ（英語でウォーターメロン）を切ったところに似ているからです。原石はブラジル南東部ミナス・ジェライス州で産出しました。写真のこの石は、緑から紅へと劇的に色が変わる境目が見えるよう、熟練の宝石研磨師がカットしたものです。トルマリンにはおよそ10色ほどの色合いがあり、地下深く、結晶で満たされた"ポケット（空隙）"の中で見つかります。こうしたポケットは採掘の際や地殻変動で壊れることもしばしばなので、結晶が無傷なままで採れることはそう多くありません。

ペリドット

　原石（上）と宝石としてカットされたペリドット（下）。どちらもめったに見られない逸品です。紅海に浮かぶザバルガドという小さな島（現・セントジョンズ島）で採れたもので、ザバルガドはペリドットを意味するアラビア語です。かんらん石という鉱物のうち、特に緑色の美しいものがペリドットと呼ばれます。オリーブの実くらいの大きさのこの宝石は自然史博物館が1932年に購入したもので、内部にまったく傷がありません。深みのある緑色で宝石に使える品質を持つ原石の標本は重さが686カラット、世界で最も大きなペリドット結晶です。ザバルガドは荒れた砂漠が広がる中にまばらに灌木が生えているだけで真水もない島で、およそ宝の山には見えません。けれどもこの島は世界で最も高品質のかんらん石結晶を産出し、その緑色の石は何千年も前から人々を魅了してきました。エジプトのファラオはお抱えの宝石細工師を送り込んでペリドットを集め、古代ギリシャでもペリドットを彫った彫刻が作られました。島の海岸にはかんらん石のかけらがあまりにたくさん散らばっているので、浜が緑色に見えます。何百年もの間に、ザバルガドは人々に忘れられ、それから別の文明

に再発見されることを幾度か繰り返しました。ある時は古代エジプト人がこの島を守ろうと奮戦し、別の時には海賊が島を支配しました。近年は欧米の民間企業が採掘を行っています。

廃墟大理石

　廃墟大理石、風景大理石、パエジナストーンなどと呼ばれるこの石には、秘密が隠されています。切り出して研磨すると、廃墟と化しつつある都会の薄気味の悪い風景が表面に現れるのです。イタリアのトスカーナ地方の堆積層から採れた、レンガほどの大きさのこの石は、どんよりと曇った空を背景に崩れかけた塔、建物、尖塔などが描かれているように見えます。けれども、これは芸術家が描いた作品ではありません。地下深くで、濃い色と薄い色の成分が偶然に生み出した景色なのです。

　この石は、名前とはうらはらに大理石ではなく、きわめて粒子の細かい石灰石です。近年、スロヴァキアでの調査研究により、異なる色による模様がどのように形成されるかが明らかになりました。岩に浸透した水は、鉄の化合物をリズミカルな帯状に沈殿させます。何もなければ単に岩全体が平行な縞模様になるだけですが、岩には非常に細かい直線状の節理〔規則的な割れ目〕が無数に入っており、この節理は透水性がないため、区切られた部分ごとに異なる着色が起こります。そのため、岩を磨くとそのパターンが表面に出て見えるようになるわけです。

ブルージョンの壺

　高さ1メートル近いこの壺は、ブルージョンと呼ばれるタイプのホタル石で作られた、史上最も大きな作品のひとつです。1860年頃にデヴォンシャー公爵のために作られたもので、少なくとも7つのピースを組み合わせてあります。ブルージョンをこれほどなめらかな曲線に研削するには非常に高い技術が必要で、相当な制作費用がかかったことでしょう。しかしデヴォンシャー公はこの壺を買わず、かわりにS・アディントンという人物が購入して1868年1月に実用地質学博物館に寄贈しました。同館はその後地質博物館と改称され、1985年に大英自然史博物館に併合されました。

　ホタル石には、アルプス産のピンクやイリノイ産の青などさまざまな色合いのものがあります。青〜紫と黄〜白のさざ波のような縞を持つブルージョンは、イギリスのダービーシャーだけで産出します。ブルージョン（blue−john）という名前は、この石の縞の色である「青−黄」を意味するフランス語bleu−jauneが語源かもしれないとされます。それとは別に、この鉱石を採掘していた鉱夫たちが、閃亜鉛鉱の愛称である「ブラックジャック」にひっかけて「ブルージョン」と呼んだのがはじまりだという説もあります。

ダイヤモンドの花のブローチ

　ダイヤモンドを散りばめた宝飾品には、思わず引き込まれるような魅力があります。左の精巧なブローチは、ヴィクトリア朝の職人がダイヤの輝きをめいっぱい生かすために編み出した工夫のひとつを教えてくれます。サファイアのまわりにダイヤを配した花は根元に小さなバネが付いており、ブローチを身につけた人が動くとダイヤの花が揺れて、ファイアと呼ばれる虹色のきらめきが生まれるのです。下に吊られたペンダント部分のダイヤを載せる小さな王冠型の台座も、ダイヤに光が入って反射光が出ていきやすい形になっていて、ペンダントが揺れるたびにきらきらした輝きを放ちます。19世紀末から20世紀初めにかけては、このようなスタイルの宝飾品——特に花や昆虫をモチーフにしたもの——に人気がありました。

ダイヤモンドのアクセサリー

　銀と金の座金にダイヤモンドとサファイアをはめこんで、異素材の組み合わせでしゃれた効果を出した右上の装身具は、19世紀後半の作品です。持ち主が好みと気分に合わせていろいろな使い方で身につけられるようデザインされており、ヘアピンにもブローチにもペンダントにも使える留め具が裏面に取り付けられています。

ダイヤモンドの蝶のヘアピン

　自然史博物館には宝石の付いた装身具は少数しか所蔵されていません。この愛らしい小さな蝶はそのひとつです。銀の台座に何十個もの小粒ダイヤがびっしりはめこまれているため、実際よりも大きく輝いて見え、ひときわ魅力的です。由来ははっきりしませんが、1830年頃に西ヨーロッパで作られたことがわかっています。記録によれば、1912年にE・ウォーン夫人という人物から自然史博物館に寄贈されたということです。

コ・イ・ヌールの再カット

　上の写真の石膏型は、世界一有名な宝石といわれるダイヤ、「コ・イ・ヌール」の元の形を写し取った鋳型です。インドで発見されたコ・イ・ヌールは、1849年に第2次シク戦争でイギリスが勝利してインド全土を植民地化した際に、ヴィクトリア女王に献上されました。しかし、ムガール式のカットがほどこされたダイヤは西洋人の目には輝きが足りないと映ったので、女王の夫であるアルバート公がカットのやり直しを命じました。上の型は再カットする前の1851年に取られたものです。ブリリアントカットに研磨しなおされた石は、もとの石よりずいぶん小さくなりましたが、きらめきは増したことでしょう。再カットの前と後を示す2個のレプリカによって、もとの石の形と、故エリザベス皇太后の冠を飾る現在の石の形の両方を、この目で見ることができます。

　コ・イ・ヌールは何百年も前から知られており、今のインド、イラク、アフガニスタン、パキスタンを治めた幾人もの支配者の間を、裏切り、流血、政治的駆け引きによって転々と渡り歩きました。金銭で売買されたことは一度もありません。コ・イ・ヌールには持ち主の男性に不幸をもたらすとの伝説があり、これを身につけても安全なのは女性だけであるとされています。

石の中のダイヤ

エンドウマメくらいの大きさのダイヤモンドが埋まったこの石は、かつて社会評論家・作家のジョン・ラスキン〔219ページ参照〕が所有していました。けれども、それ以上にこの石の重要性を雄弁に物語るのは、これが1851年のロンドン万国博覧会の展示品だったという事実です。アルバート公が主導し、国際的な工業技術とデザインを広く紹介することを目的としてハイドパークで開かれたその催しは、世界で最初の国際博覧会でした。当時ヴィクトリア女王の鉱物学者だったジェームズ・テナントが、インドで産出したこの標本を出展しました。シルト（沈泥）を含んだ川の水が石を徐々に削ってなめらかにする一方、硬いダイヤモンドはそのままの形を保ち、酸化鉄を多く含む茶色い砂岩の縁にくっついています。砂岩には金の小さな粒も付いています。石は1923年に自然史博物館の所蔵となりました。

ダイヤモンドの結晶

上の写真の結晶は、19世紀後半の南アフリカのダイヤモンドラッシュの時代から今に残る、非常に珍しい標本です。それまで、ダイヤは川でしか見つかっていませんでした。ところが、ひとたび岩の中にダイヤの埋まった鉱脈が発見されると、一攫千金を夢見る採掘者が世界中から集まりました。何千人もが南アフリカに殺到し、争ってダイヤを探したので、この写真のダイヤが石から取り出されカットされて宝石として売りさばかれなかったのは驚くべきことといえます。上の2点のうち左のダイヤはもともと埋まっていた「黄色い地盤」つまりキンバーライトという岩体の最上部の風化層にはまったままです。コールスベルフ・コピエ鉱山（後のキンバリー鉱山）で発見されたこの石は人差し指の爪ほどの大きさで、鉱脈が発見されてわずか2年後の1872年に博物館の所蔵品に加わりました。それよりやや小さい右の結晶は、その2年後に、鉱山のもっと深い場所にあって風化していない「青い地盤」と呼ばれる地層から発見されました。鉱山は1914年に閉山になりましたが、その頃には採掘場所の深さは1キロメートル以上にも達していました。

オパールのネックレス

　ドラマティックな美しさを誇るネックレス。たった1個のオパールを見つけるために何トンもの岩を掘らなければならないことや、色や輝きの似たカットオパールが2個見つかるのはまれであることを知ると、いっそうこのネックレスのすばらしさが感じられることでしょう。これほどバランスのとれた色彩の石を揃えるのは至難の業です。ここで使われているオパールは、1907年から1942年まで自然史博物館の動物学部門で働いていたガイ・ドルマンがひとつひとつ選んだものです。彼は妻ヴァイオレットへの贈り物にするため、愛をこめてその作業に打ち込みました。ネックレスは1958年に自然史博物館に寄贈されました。

　右ページ右下の大きな礫は天然のオパールの一例で、内部の輝くオパールが見えるように岩の一部を割ってあります。

ブラックオパール

　虹のような遊色効果を持つプレシャスオパールが発見されて以来、千変万化する虹色はコレクターを魅了してきました。なかでも最も珍重されるのがブラックオパール〔地色が黒から濃灰色のオパール〕です。この131カラットのブラックオパールはオーストラリアのニューサウスウェールズ州ライトニング・リッジで見つかったもので、世界のブラックオパールの最高峰と言われています。オパールは非晶質の二酸化ケイ素の微小な球が無数に集まってできています。この球は規則正しく積み重なって配置されているため、3次元回折格子のような働きをして、光を虹色に見せます。暗い色に見えるのは、球の配置がバラバラな部分です。

呪われたアメジスト

　1943年に自然史博物館の鉱物学部門に届いたこのアメジストの装身具を開梱した人々は、箱の中に1枚の書き付けを見つけました。そこには、「この石は三重に呪われており、血と、かつての所有者全員の不名誉に染まっている」と書かれていました。「呪い」は、石の化学組成と同じくらい、このアメジストの属性の一部です。この宝石はインド大反乱（1857-1859）の際に略奪されたものだと言われており、とある騎馬兵がイギリスに持ち帰ったとされます。最後の持ち主だったエドワード・ヘロン＝アレン〔106ページ参照〕の伝えるところによれば、そこから呪いの物語が始まりました。騎馬兵もその息子も恐ろしい病気と不運に見舞われ、一家の友人は一時期このアメジストを預かった後に自殺してしまいました。アメジストは1890年にヘロン＝アレンの所有物となりましたが、高名な科学者であった彼の身にも、不幸が立て続けに起こったといいます。彼がこれを友人に貸したところ、その友人は「考えうるあらゆる厄災に」襲われ、次に渡された別の友人の歌手は声が出なくなって歌えなくなったというのです。ヘロン＝アレンはアメジストの呪いを確信し、守護のまじないを記した銀のヘビで周りを囲み、さらにはロンドンのリージェント運河に投げ込みさえしました。ところが、あろうことかアメジストは発見されて彼のもとに戻ってきたのでした。彼は絶望的な気分になり、生まれたばかりの娘に 禍（わざわい） が降りかかることを恐れて、アメジストを7重の箱に封印して銀行に送り、金庫室に保管させました。箱は彼が1943年に死ぬまでそのままにされ、遺言で自然史博物館に寄贈されました。

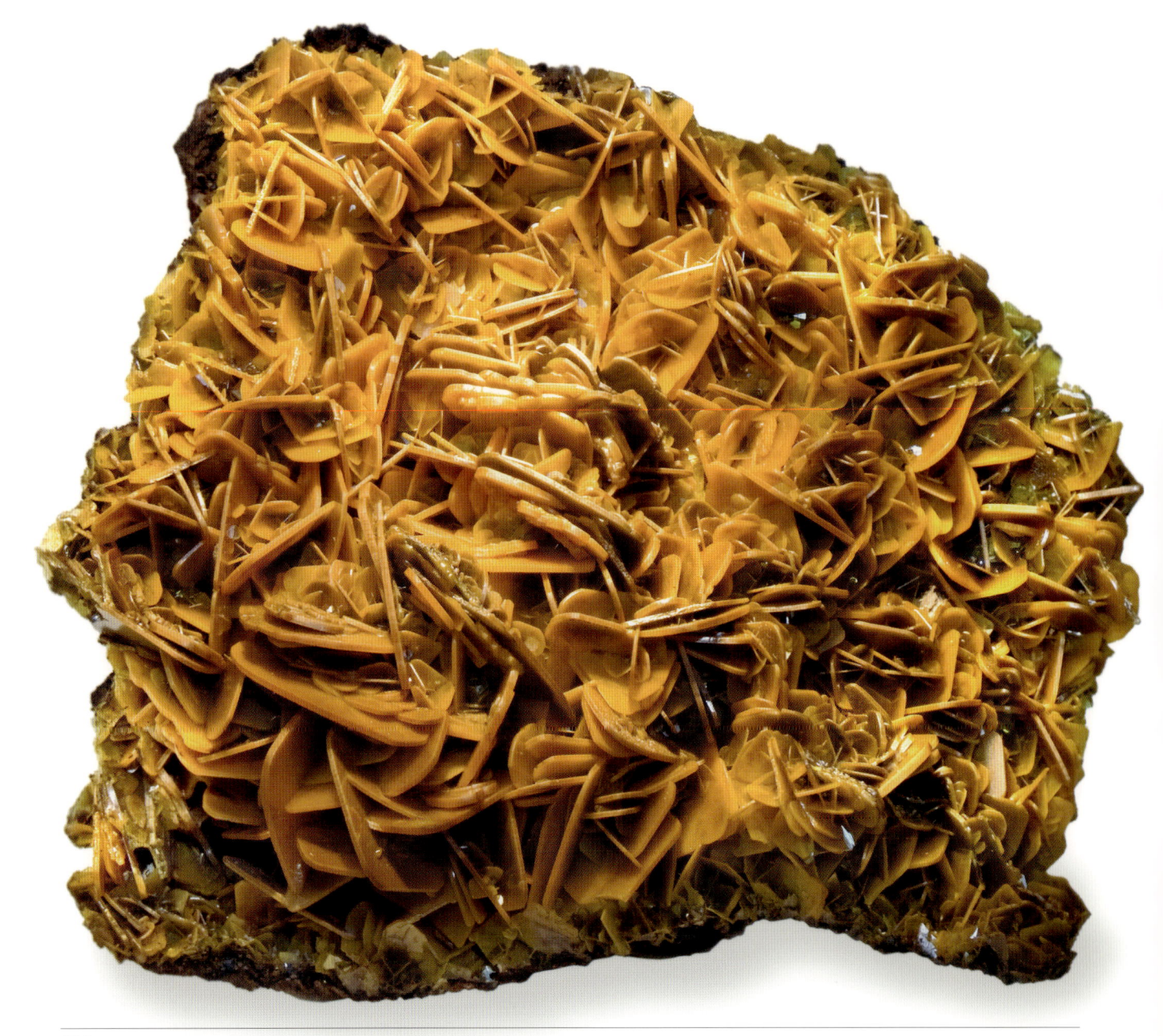

バタースコッチ黄鉛鉱 <ruby>黄鉛鉱<rt>おうえんこう</rt></ruby>

　左ページの写真は黄鉛鉱（ウルフェナイト、モリブデン鉛鉱ともいいます）の美しい標本で、これほど大きな結晶が見られることはまれです。バタースコッチによく似た色の薄板状で破損のない結晶でびっしり埋まったこの標本は、1958年に米国アリゾナ州のグローヴ鉱山で発見されました。黄鉛鉱は世界中で見られる鉛鉱物で、主に小さな結晶として産出します。グローヴ鉱山は、大きな結晶が採れる数少ない場所のひとつです。そこでは黄鉛鉱が豊富に産出し、鉛の鉱石としても、より貴重なモリブデン（特殊鋼に使われる金属）の鉱石としても利用されています。1950年代にこの鉱山を最初に調査したハリー・J・オルソンは目の前の光景に驚嘆し、次のように述べています。「ドームの奥は一面に金色の結晶で埋めつくされていて、私は思わず歓喜と驚嘆の叫びをあげた。（…）鉱山の監督はてっきり私が事故にあったものと思い、大慌てで通路を走ってきた」。

　黄鉛鉱の結晶はとても壊れやすいので、これほど大きな標本を採取するのはきわめて困難です。グローヴ鉱山はすでに閉山されているため、2005年にアリゾナ州ツーソンのミネラルショーで自然史博物館が購入したこの標本は、その意味でも特別な存在です。

トパーズ

　大きさだけをモノサシにするなら、このトパーズは自然史博物館のコレクションのなかで最高の宝石ということになるでしょう。カットされた宝石としてはコレクション中最大で、2982カラット、握りこぶしくらいの大きさがあります。トパーズは大きな結晶が産出することがよくあり、それをカットすると傷のない大きな宝石が得られます。このトパーズは、世界のトパーズの大部分を供給するブラジルのミナス・ジェライス州で採れたものです。こうした超大型の宝石の生産には何ヵ月もの計画と特殊な装置が必要です。純粋なトパーズは無色透明ですが、微量の不純物や結晶構造の欠陥の影響で、青、緑、濃淡さまざまな黄色からオレンジ色などになります。

インペリアルトパーズ

　インペリアルトパーズは赤みがかった黄色から橙色をしたトパーズで、その色ゆえに非常に珍重されます。下の写真の結晶は1852年に、ブラジル南東部オウロ・プレト地域にある最も古くからの鉱山のひとつで産出しました。このサイズ（長さ10センチ以上）の結晶はめったにありません。96カラットで無傷の宝石（上）は、温かみのあるシェリーカラー（シェリー酒のような色）がひときわ映えるように原石をカットするとどれほど華麗な宝石になるかの好例です。

新参のスピネル標本

　スピネル（尖晶石）の結晶は通常は大理石の内部に隠れていますが、上の
標本は大埋石を割って酸で溶かし、スピネルの結晶を露出させたものです。自
然史博物館が2006年にこれを購入したのは、ひとつにはすばらしい標本だか
らですが、もうひとつ、これが1980年に発見されたばかりの最も新しい産地
であるベトナムで採れたものだという理由もあります。この標本は自然史博物
館が購入した初のベトナム産スピネルとして、従来からあったタイ、アフガニ
スタン、旧ソ連産スピネルの仲間に加わりました。博物館では、可能なかぎり
包括的なコレクションを作り上げるために、つねに新しい標本を加えて所蔵品
の充実をはかっています。

皇帝のスピネル

　下の大きくて見事なスピネルは519
カラットもあり、ビルマのアヴァで産
出したものです。東洋では18世紀末
頃までめったに宝石をカットせず、か
わりに表面を磨き上げて色と透明度を
見せることが主流でした。この石は、
色も透明度も抜群です。かつては中国
皇帝の所有物で、宝石として使える透
明度の高い部分が多いことから、宮殿
の宝物としてあつかわれていたと考え
られます。1860年のアロー戦争で英
仏軍が皇帝の夏の離宮（円明園）を破
壊した際に、イギリス人によって持ち
出されました。

　スピネルはよくルビーと間違われま
す。たしかに組成は似ており、一緒に
産出することも多いのですが、スピネ
ルとルビーは異なる性質を持つ別々の
鉱物です。

ラトローブ・ナゲット

　世の中にはこれよりも大きな金のナゲット〔天然に産出した金属小塊〕もありますが、これほど結晶の形がはっきりしているものはごくわずかです。母岩の風化でこぼれ落ちた金は、多くの場合流れの速い川や鉄砲水で運ばれていきます。金は軟らかい金属なので、流される間に水や堆積物の作用で結晶の角が取れ、表面が滑らかな丸みを帯びた形になりがちです。それに対し、1853年にオーストラリアのマッカイヴァー鉱山で発見されたこの標本は水の浸食を受けておらず、大きいものでは1辺が1センチ以上ある方形の結晶が集まっています。微量の銅が不純物として含まれているため、いっそう色合いが豊かに見えます。717グラムのナゲットは、発見時にちょうど鉱山を視察していたとされるヴィクトリア州総督チャールズ・ジョゼフ・ラトローブにちなんで、ラトローブ・ナゲットと名付けられました。金は普通は小さな粒や微粒子の形で見つかり、大きなナゲットが産出することはあまりありません。川で砂金を採る場合は伝統的にパンニング〔特別な皿を使い、比重の差を利用して砂金を選り分ける方法〕が用いられます。非常に時間と労力がかかる作業ですが、金を必要とするのは宝飾品業界だけではなく、つねに大きな需要があります。たとえば、金は導電性が非常に高く、かつ腐食しないため、年間何トンもの金が洗濯機から宇宙船まであらゆるものの電気接点に使われています。

プラチナのナゲット

　左の写真の白金（プラチナ）のナゲットはロシアのウラル山脈にあるニージニー・タギル付近の鉱山で産出したもので、長さ10センチ、重さは1キロ以上あります。自然史博物館が1875年に購入しました。これと同じようなナゲットはまず見つからないと言えるくらい珍しい標本です。白金自体がかなり稀少で、これほどの大きさのナゲットが存在することは驚異的ですらあります。金よりもさらに高価な白金は、普通は鉱石中に高濃度で含まれてはおらず、鉱床の中に"薄く広く"分布しているものなのです。

ヒスイ

　上の写真は、長さ1メートル以上、重さは500キログラムを超えるきわめて大きなヒスイの塊です（とはいえ、この50倍大きい標本も知られています）。シベリア南部のイルクーツクで発見されました。

　ヒスイをあらわす英語のjade（ジェイド）はスペイン語で「腰の石」という意味のpiedra de ijada（ピエドラ・デ・イハーダ）が語源とされ、その昔、ヒスイを患部にあてることで腰痛や腎臓病が治ると信じられていたことに由来します。英語のジェイドは、ヒスイ（硬玉、ジェダイト）だけでなく、角閃石類（軟玉、ネフライト）など、磨いて装飾品になる塊状鉱物を広く指す宝石名です。宝飾品に使われるジェイドは多くの場合深い緑色ですが、白や薄紫色のものもあります。非常に耐久性が高く、極東では昔から彫刻の素材として使われてきました。特に中国では何千年も前から武具、道具、通貨、装身具、彫刻美術品がジェイドで作られています。ジェイド同士を打ち合わせると美しい音が響くことから、ジェイドの楽器まで存在します。

マーチソンの嗅ぎタバコ入れ

　金をぜいたくに使いダイヤモンドをふんだんに散りばめたきらびやかな嗅ぎタバコ入れは、自然史博物館の鉱物学部門が所蔵する数少ない工芸品のひとつです（上の写真は裏側、右ページは表側）。1867年に、ロシア皇帝アレクサンドル2世から英国地質調査所所長のサー・ロデリック・インピー・マーチソンに下賜されました。この豪勢な贈り物は、マーチソンが1841年にロシアのウラル山脈の地質図を初めて作成したことに対する感謝のしるしでした。マーチソンのおかげでロシアの豊富な鉱物資源の存在が明らかになり、その資源はいまだにロシアの潜在的な富の源泉でありつづけています。マーチソンはこの嗅ぎタバコ入れ

を実用地質学博物館に遺贈しました。同館は地質博物館と名を変えた後、1985年に大英自然史博物館に併合されました。

　タバコ入れの上面には銀の透かし細工によるバフの茎と葉がデザインされ、何十個もの小さなダイヤがはめ込まれています。外側には16個の大きなブリリアントカットのダイヤが並び、なかには直径が1センチ近く、2.5カラットのものもあります。中央には、銅にエナメル細工で描かれたアレクサンドル2世のミニチュア肖像画がダイヤを並べた枠で囲まれて鎮座し、贈り主が誰かが決して忘れられないよう見張っています。

ホープ・クリソベリル

　魅惑のきらめきを放つ、ブラジル産の45カラットのクリソベリル(金緑石)。およそ170年前から宝石学者の間では有名であり、「まったく無傷で(…)このタイプのクリソベリルをカットした宝石としては文句なしに最高の品だろう」と言われています。桃の種ほどの大きさのこの宝石は、かつてはヘンリー・フィリップ・ホープ——現在アメリカのスミソニアン協会の博物館が所蔵する「ホープ・ダイヤモンド」の持ち主だったことでも知られる人物——のコレクションのひとつでした。ホープはカットされていないクリソベリルを250ポンドで購入し、カットさせてこの宝石を生み出しました。クリソベリルは稀少な鉱物で、硬度が高いので良い宝石になります。成分は酸素とベリリウムとアルミニウムで、名前はギリシャ語で金を意味するクリューソス(chrysos)に由来しますが、実際の石の色は黄色がかった緑から薄茶色までいろいろです(色の違いは生成時にアルミニウムがどれだけ鉄に置換されるかによって生じ、鉄が多いほど色が濃くなります)。クリソベリルには、アレキサンドライト(右ページ)とキャッツアイ・クリソベリル(猫目石)という2種類の変種があります。後者は、光が直接あたると反射光が猫の目のように帯状に現れます。この光の帯は、宝石の内部に針状の不純物(ルチルという鉱物であることが多い)が平行に並んで入っていることによるものです。

アレキサンドライト

アレキサンドライトは光源によって色が変わるという不思議な性質を持った石で、1834年にロシア中部、ウラル山脈東側のトコヴァヤ川近くの鉱山で初めて発見されました。昼間の太陽光の下では深い緑色ですが、夜にロウソクの灯りで見ると豊かな赤紫になります。これは、紫から青、緑、黄色を経て赤に至る可視光スペクトルのうち、どの波長を吸収し、どの波長を反射するかに関係しています。この石は波長の短い青緑色系の光と、波長の長い赤色系の光を同等に反射し、中間的波長の黄色の光を広範囲に吸収します。そのため、青色成分が多い昼間の太陽光線があたった時は反射される光は青系統が主体になり、石は緑に見えます。ロウソクの場合は光に含まれる青色が少ないため、石は赤く見えるのです。

赤と緑はロシア帝国にゆかりのある色であったことからこの新しい宝石は大評判になり、皇太子アレクサンドル（後の皇帝アレクサンドル2世）にちなんだ名前が付けられました。

結晶がいくつも集まった石（上の写真）は、産地であるウラルの地層から産出した最も質の良いもののひとつです。アレキサンドライトは他の場所でも見つかっており、右の写真の宝石はスリランカ産で、27カラットあります。宝石として使える品質のアレキサンドライトはほとんどが2～3カラット程度なので、これは桁外れに大きい標本です。

"ウェリントンの木"の標本戸棚

　鉱物標本が収納されたこの戸棚は、鉱物学部門責任者のオフィスに置かれています。それだけなら何の変哲もない戸棚ですが、これにまつわる有名な物語があるのです。イギリス・オランダ・プロイセン軍がナポレオンと対峙（たいじ）したワーテルローの戦いの際、英軍指揮官ウェリントン公爵が本営を置いた場所に、1本の楡（にれ）の大木が生えていました。1815年6月18日の戦いで英軍はナポレオンに対して劇的な勝利を収め、そのため人々はその楡の木に歴史的価値を見るようになります。戦いが終わった直後から多くの人が楡の木を見に訪れ、樹皮は土産物ハンターにすっかりはがされ、幹はあちこちが切り取られ、周囲の農地の作物は踏み荒らされました。1818年9月、たまたま昆虫学者のJ・G・チルドレンがこの地を訪れた時には、木はぼろぼろにいたんで伐採されようとしていました。楡の木の歴史を知っていた彼は、伐（き）られた木を買い取り、3脚の椅子を作らせます。椅子は、ウィンザー城の国王ジョージ4世、ラトランド公爵、そして当のウェリントン公爵本人に1脚ずつ贈られました。残った木材で作られたのがこの戸棚で、大英博物館に寄贈され、その後大英自然史博物館に受け継がれたというわけです。木材の一部には鉄の鎖が食い込んでいます。おそらく若木の時に幹に巻かれ、木の生長とともに幹にくい込んで埋まってしまったのでしょう。

測角器

　昔の鉱物学者は、この装置のおかげで、初めて砂粒ほどの標本の結晶の形を解明することができました。写真の測角器は1892年に作られたもので、これを使って結晶面同士の角度を測定し、そこから結晶の形と対称性を割り出して、それが何の鉱物であるかを判断します。この測角器は複雑で美しい構造を持っていますが、最も初期の測角器は単純な分度器で、手で持てるくらい大きな結晶でなければ角度を測れませんでした。画期的な技術革新が起きたのは1809年、科学者のウィリアム・ハイド・ウォラストンが光を使って微小な結晶の角度を調べる方法を考案した時です。小さな結晶を繊維の上に乗せ、焦点を合わせた光をあてながら、目盛付きのホイールをゆっくりと回転させます。光は右側の筒を通って標本にあたり、反射して左の拡大鏡に入ります。ある結晶面の1点からの反射光が見えた時から次の反射光が見えた時までにホイールがどれだけ回転したかの角度を読めば、隣り合う結晶面同士の角度がわかります。この手法は、1912年にX線回折が発見されてボタンひとつ押すだけで結晶の構造が判明するようになるまで使われました。

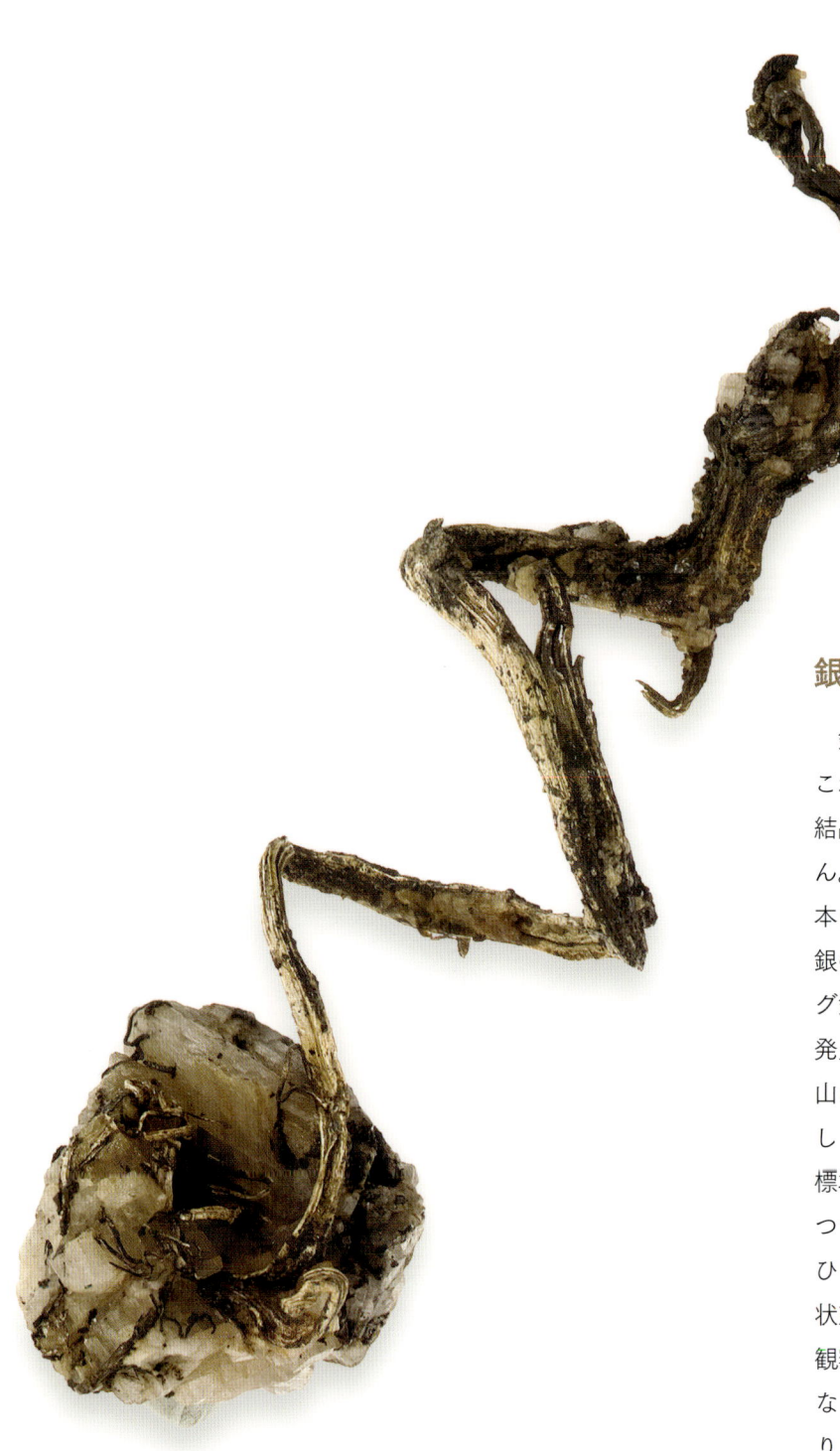

銀の針金状結晶

　銀は時に美しい結晶を作りますが、これほど大きくて質の良い銀の針金状結晶〔ひげ銀〕はめったに見られません。人間の手よりも長いこの結晶の標本は、世界で最も高品質の針金状自然銀の産地、ノルウェーのコングスベルグ銀山で採れました。1623年の鉱脈発見から1958年の閉山まで、この銀山はすばらしい自然銀をいくつも産出しました。1886年に見つかったこの標本はそのなかでも最高の逸品のひとつで、白い方解石の中で成長した長いひげ銀を、まだ方解石に付いたままの状態で見ることができます。顕微鏡で観察すると微小な銀の結晶が連なり重なって針金を形成していることがわかりますが、肉眼では非常に細い針金の束のように見えます。

銅の塊

　稀少な金属だけに価値があるわけではありません。この銅の標本は、語るべき物語を持ち、融かされずに残ったがために、珍しい存在として自然史博物館で大切に保管されています。これは、北極圏で初めて見つかった銅なのです。1771年、ハドソン湾会社はカナダ北西部に暮らすデネ族から鉱物資源の情報を聞き、探査のために探検家サミュエル・ハーンを派遣しました。ハーンはその地に徒歩で踏み込んだ最初のヨーロッパ人になり、北極圏を含むカナダ北部の荒涼とした地で長く苦しい道のりを進んでいきました。現在のノースウェスト準州でこの銅の塊を発見した彼は、もっと多くの銅が存在することを確信し、踏査行の終了까지まる1年のあいだずっと、3キログラム近いこの標本を荷物と一緒に運びつづけました。帰還した彼は銅の塊をハドソン湾会社に提出し、1818年に同社が大英博物館自然史部門に標本として寄贈しました。銅の大きな塊はたいていは融かして使われてしまうため、そのまま残ることはあまりないのですが、この標本はハーンの苦労と奮闘を後世に伝えるために保存されたのでした。

標本情報の詳細

特に記載のない限り、寸法は、高さ×幅×奥行。

『博物誌』
1469年版、
全355ページ、大プリニウス。p.22

プルークネット・コレクション
1700匹のプレスされた昆虫を
糊で貼り付けた1冊の本、1690年、
レナード・プルークネット。p.23

『スリナム産昆虫変態図譜』
メガネカイマン（*Caiman crocodilus*）とサンゴパ
イプヘビ（*Anilius scytale*）の手彩色の絵、1719年、
マリア・ジビーラ・メーリアン。p.24

『スリナム産昆虫変態図譜』
イドメネウスフクロウチョウ（*Caligo idomeneus*）、
カイコガの仲間の幼虫、カリバチ、
ベニサンゴバナ（*Pachystachys coccinea*）の
手彩色の絵、1719年、
マリア・ジビーラ・メーリアン。p.25

クリアンサス・プニセウス
クリアンサス・プニセウス（*Clianthus puniceus*）
の水彩画、525×350 mm、1775年、
シドニー・パーキンソン。p.26

ゲオルク・エーレットの作品
鉛筆と水彩による果実と種子のスケッチ、
425×275 mm、1748年、
ゲオルク・エーレット。p.27

バロデレーの肖像
水彩、287×215 mm、1788 − 1797年頃、
ポート・ジャクソンの画家。p.28

キングペンギン
キングペンギン（*Aptenodytes patagonicus*）の
水彩画、530×369 mm、1775年、
ゲオルク・フォースター。p.29

キバナハスとハエトリグサ
キバナハス（*Nelumbo lutea*）と
ハエトリグサ（*Dionaea muscipula*）の黒インク
による絵、300×300 mm、1767年、
ウィリアム・バートラム。p.30

フロリダカナダヅル
フロリダカナダヅル（*Grus canadensis pratensis*）
の黒インクと水彩による絵、270×220 mm、1774年、
ウィリアム・バートラム。p.31

ヨウジウオ
ヨウジウオの1種ウィーディ・シードラゴン
（*Phyllopteryx taeniolatus*）の水彩画、
502×355 mm、1801年、
フェルディナント・バウアー。p.32

オフリス・アピフェラ
ランの1種オフリス・アピフェラ（*Ophrys apifera*）
の水彩画、380×265 mm、1800年、
フランツ・バウアー。p.33

招待状とメニュー
招待状は紙に黒インク、178×127 mm。
メニューは紙に青インクで印刷、
143×225 mm。ともに1853年、
ベンジャミン・ウォーターハウス・ホーキンズ。p.34

最初の地質図
印刷した地図に手彩色、2645×1890 mm、1815年、
ウィリアム・スミス。p.35

フウチョウの1種
オナガカマハシフウチョウ（*Epimachus fastuosus*）
とオナガフウチョウ（*Astrapia nigra*）の交雑種の絵、
石版画に手彩色、
550×370 mm、1875 − 1888年、
ジョン・グールド。p.36

グールドの作品
グールドの出版物3冊に収められた
手彩色石版画、
550×370 mm、19世紀中葉、
ジョン・グールド。p.37

『アメリカの鳥』のサンショクシギ
版画に手彩色したサンショクシギ
（*Egretta tricolor*）の絵、1834年、
ジョン・ジェームズ・オーデュボン。p.38

マーガレット・ファウンテーンのノート
水彩画、224×139 mm、1926年、
マーガレット・ファウンテーン。p.40

ルリコンゴウインコ
石版画に手彩色した
ルリコンゴウインコ（*Ara ararauna*）の絵、
550×370 mm、1832年、
エドワード・リア。p.41

ヘンリー・ベイツのノート
水彩画およびインクと鉛筆による文字、
1851 – 1859年、
ヘンリー・ウォルター・ベイツ。pp.42-43

『種の起源』
日本語版の初版は東京、1914年。
ダーウィンの自筆原稿は330×210 mm、1859年、
チャールズ・ダーウィン。pp.44-45

ネグロ川の魚
鉛筆画、180×230 mm、1848 – 1852年、
アルフレッド・ラッセル・ウォレス。p.46

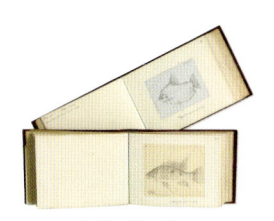

ネグロ川の魚
鉛筆画、180×230 mm、1848 – 1853年、
アルフレッド・ラッセル・ウォレス。p.47

キャスリン・スコットの手紙
紙にインク、3枚、227×176 mm、1913年、
キャスリン・スコット。p.48

マーク・ラッセルのゾウムシ
アクリル絵の具によるゾウムシの1種バリス・
クプリロストリス（*Baris cuprirostris*）の絵、
360×500 mm、1998年、
マーク・ラッセル。p.49

バンクシア・セラタの標本と絵
バンクシア・セラタ（*Banksia serrata*）標本、
シートサイズ440×280 mm、オーストラリアで採取。
絵はシドニー・パーキンソンの
絵に基づいて描かれた。pp.52-53

メリッシア・ベゴニフォリア
メリッシア・ベゴニフォリア
（*Mellissia begoniifolia*）、
大西洋上のセントヘレナ島で採取。p.54

セイタカダイオウ
セイタカダイオウ（*Rheum nobile*）、
チベットで採取。p.55

メキシコから来た植物
ラカンドニア・スキスマティカ（*Lacandonia
schismatica*）、メキシコで採取。pp.56-57

クリフォードの植物乾燥標本、カエンキセワタ
カエンキセワタ（*Leonotis leonurus*）、
シートサイズ390×210 mm、
オランダで栽培されたもの、1730年代。p.58

クリフォードの植物乾燥標本、ルコウソウ
ルコウソウ（*Ipomoea quamoclit*）、
シートサイズ 430 × 280 mm、
オランダで栽培されたもの、1730 年代。
p.59

海藻の押し葉の冊子
多様な海藻、シートサイズ 550 × 760 mm、
ジャージー島。pp.60-61

ジャイアントセコイア
セコイアデンドロン（*Sequoiadendron giganteum*）、
米国カリフォルニア州シエラネバダ山脈で採取。
pp.62-63

アツバサクラソウとチューリップ
アツバサクラソウ（*Primula auricula*）と
チューリップ（*Tulipa*）、14 冊、押し花、
冊子のサイズ 560 × 420 mm、18 世紀初頭。
pp.64-65

タタールの仔ヒツジ
タカワラビ（*Cibotium barometz*）、
中国、1698 年。
p.66

ヘルマンの標本帳
スリランカの植物の押し花、
冊子のサイズ 530 × 390 mm、1670 年代。
p.67

スローンの標本帳のカカオ標本と絵
カカオ（*Theobroma cacao*）標本、
冊子のサイズ 540 × 430 mm、
スローンがジャマイカで採取。
絵はエウェルハルドゥス・キッキウスの作、1687-1689 年。
pp.68-69

ローデシア人の頭骨
ホモ・ハイデルベルゲンシス
（*Homo heidelbergensis*）
あるいはホモ・ローデシエンシス
（*Homo rhodesiensis*）、24 cm、
ザンビアのブロークンヒルで産出。
p.72

ピルトダウン人のクリケットバット
41 cm、イングランドのサセックス州で"発見"。
p.73

ピルトダウン人の下顎骨
13 cm、イングランドのサセックス州で"発見"。
p.73

魚竜の化石
テムノドントサウルス・プラティオドン
（*Temnodontosaurus platyodon*）、
長さ 1 m、イングランドのライム・リージスで産出。
p.74

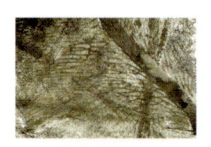

葉の化石
グロッソプテリス・インディカ
（*Glossopteris indica*）、
写真に写っている部分の実際の幅は 3 cm、
南極のベアードモア氷河のバックリー島で産出。
p.75

木の化石
長さ 27 cm、南極のプリーストリー氷河で産出。
p.75

オパール化した巻貝と二枚貝
二枚貝は長さ 5 cm、大きい巻貝は長径 2.5 cm、
オーストラリア南部クーバー・ペディで産出。
p.76

両生類の幼生
アパテオン・ペデストリス
（*Apateon pedestris*）、長さ 7 cm、ドイツで産出。
p.77

ウィットビーのスネークストーン・アンモナイト
ダクティリオケラス・コムネ
（*Dactylioceras commune*）、直径50 mm、
英国ヨークシャー州ウィットビーで産出。p.78

ディプロドクスの骨格
ディプロドクス（*Diplodocus*）、長さ26 m、
米国ワイオミング州で産出したもののレプリカ。
pp.82-83

藍藻の化石
プリマエヴィフィルム・アモエヌム
（*Primaevifilum amoenum*）、糸状体、
厚さ4 μm、オーストラリアの
西オーストラリア州マーブル・バーで産出。p.89

真珠光沢アンモナイト
プシロセラス・プラノルビス
（*Psiloceras planorbis*）、
一番大きいアンモナイトの直径は55 mm、
イングランドのサマーセットで産出。p.79

始祖鳥
始祖鳥（*Archaeopteryx lithographica*）、
翼開長60 cm、南ドイツで産出。p.84

海底の軟泥が入った広口瓶
グロビゲリナ（*Globigerina*）属の有孔虫、
瓶の高さ12.5 cm、
チャレンジャー号が太平洋南東部の
深さ2600 mの海底で採取。p.90

ウミユリ
サゲノクリヌス・エクスパンスス
（*Sagenocrinus expansus*）、長さ6 cm、
イングランドのウェスト・ミッドランズで産出。p.80

プロトケラトプスの頭骨
プトロケラトプス（*Protoceratops*）、
長さ50 cm、モンゴルで産出。p.85

チャレンジャー号の標本
キャビネットは10×27×22 cm、
報告書は33×26 cm。
さまざまな場所の深海で採取。pp.90-91

ウミユリ
セイロクリヌス・スバングラリス
（*Seirocrinus subangularis*）、
高さ1.3 m、ドイツで産出。p.81

トリケラトプス
トリケラトプス（*Triceratops*）、
長さ6 m、米国モンタナ州で産出。p.86-87

化石化したヤシの木
パルモキシロン属の1種（*Palmoxylon* sp.）、
長さ60 cm、エジプトで産出。p.92

イグアノドンの歯
イグアノドンの1種（*Iguanodon* sp.）の歯冠、
長さはそれぞれ4 cmと5 cm、
イングランドのルイスで発見。p.82

葉の化石
ポプルス・ラティオル（*Populus latior*）、
幅11 cm、ドイツのエーニンゲンで産出。p.88

豆のさや
プロソピス・リネアリフォリア
（*Prosopis linearifolia*）、さやの長さ6 cm、
米国コロラド州フロリッサントで産出。p.93

フナクイムシに穴だらけにされた木の化石
テレド属の1種（*Teredo* sp.）、長径16 cm、
イングランドのケント州シェピー島。p.94

重なり合ったエゾフネガイ
クレピドゥラ・グレガリア（*Crepidula gregaria*）、
積み重なった状態での高さ6 cm、
チリのパタゴニアのサンタクルスで産出。p.95

偽物の齧歯類骨格
p.96

謎の生痕化石
ディノコクレア・インゲンス
（*Dinocochlea ingens*）、長さ3 m、
イングランドのイーストサセックス州
ヘイスティングスで産出。pp.96-97

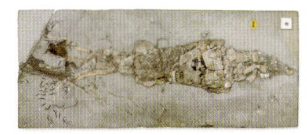

イカの化石
ベレムノテウティス・アンティクウス
（*Belemnotheutis antiquus*）、長さ250 mm、
イングランドのウィルトシャーで産出。pp.98-99

バリオニクスのツメ
バリオニクス・ワルケリ（*Baryonyx walkeri*）、
外側のカーブの長さ31 cm、
イングランドのサリー州で産出。p.100

単弓類の頭骨
キノグナトゥス・クラテロノトゥス
（*Cynognathus crateronotus*）、
長さ40 cm、南アフリカで産出。p.101

ダペディウムという魚
ダペディウム（*Dapedium*）、長さ30 cm、
イングランドのライム・リージスで産出。p.102

ゴーゴー・フィッシュ
エアストマノステウス（*Eastmanosteus*）、
長さ16 cm、オーストラリアのゴーゴー層で産出。
p.103

ケサイの歯
ケサイ（*Coelodonta antiquitatis*）、
イングランドのケント州チャーサムで産出。 p.104

リチャード・オーウェンの肖像
ヘンリー・ウィリアム・ピッカーズギル作、1844年。
p.105

有孔虫のスライド
さまざまな場所で採れた多種多様な有孔虫入り、
スライドの長さ7.5 cm。p.106

ウッドワードのテーブルクロス
一辺1 mの正方形。
p.106-107

マンモスの頭骨
ステップマンモス（*Mammuthus trogontherii*）、
長さ2.5 m、イングランドのイルフォードで産出。
pp.108-109

ゾウとコビトゾウの歯
ゾウの歯は長さ40 cm、英国クラクトンで産出。
コビトゾウの歯は長さ12 cm、キプロスで産出。
p.110

マストドンの下顎
アメリカマストドン（*Mammut americanum*）、
長さ75 cm、米国ミズーリ州で産出。p.111

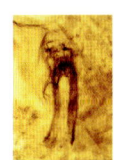

昆虫の化石
リニオグナタ・ヒルスティ（*Rhyniognatha hirsti*）、
長さ1 mm、スコットランドの
アバディーンシャーで産出。p.112

琥珀の中の虫
コリダシアリス・インエクスペクタトゥス
（*Corydasialis inexpectatus*）、
長さ2 cm、バルト海南東部海岸で発見。p.113

グリプトドン
グリプトドン・クラヴィペス
（*Glyptodon clavipes*）、
長さ 3 m。pp.114-115

最古のカニの化石
エオカルキヌス属の1種（*Eocarcinus* sp.）、
長さ 3 cm、イングランドのグロスターシャーで産出。
p.116

カブトガニの化石
メソリムルス属（*Mesolimulus*）、
長さ 40 cm、ドイツのゾルンホーフェンで産出。
p.117

三葉虫
エルベノキレ・エルベニ
（*Erbenochile erbeni*）、
長さ 4 cm、モロッコのアトラス山脈で産出。
p.118

三葉虫のブローチ
カリメネ・ブルメンバキイ
（*Calymene blumenbachii*）、長さ 8 cm、
イングランドのウェスト・ミッドランズ州で産出。
p.119

オオツノジカの枝角
メガロケロス・ギガンテウス
（*Megaloceros giganteus*）、
幅 3.5 m、アイルランドで産出。
pp.120-121

キツネザルの頭骨
メガラダピスの1種（*Megaladapis* sp.）
の頭骨は長さ 32 cm、
ネズミキツネザルの頭骨は長さ 34 mm、
マダガスカルで産出。p.122

ナマケモノの毛皮
チリで産出。p.123

地上性ナマケモノの下顎
ミロドン・ダルウィニイ（*Mylodon darwinii*）、
アルゼンチンで産出。
p.123

ガラス海綿
カリプテラ・テヌイッシマ
（*Calyptrella tenuissima*）、
30 × 25 mm、ドイツのハノーファーで産出。
p.124

円石藻
カルキディスクス・クァドリペルフォラトゥス
（*Calcidiscus quadriperforatus*）、
1個の細胞が2種類の円石を持っている例、
幅 0.016 mm、地中海西部のアルボラン海で採取。
p.125

エキゾチックな昆虫たち
バッタ目（*Orthoptera*）、カメムシ目（*Hemiptera*）、
コウチュウ目（*Coleoptera*）、ハチ目（*Hymenoptera*）、
インドネシアとマレーシアで採取。
p.128

ウォレスのアカメガネアゲハ
アカメガネアゲハ（*Ornithoptera croesus*）、
14 cm、インドネシアのモルッカ諸島で採取。
pp.128-129

シタバチ
シタバチ族（*Euglossini*）、
最大 3.5 cm、中米および南米で採取。
pp.130-131

コガシラクワガタ
コガシラクワガタ（*Chiasognathus granti*）、
8 cm、チリとアルゼンチンに分布。p.132

ジョン・ラボック卿のカリバチ
アシナガバチの1種ポリステス・ビグルミス
（*Polistes biglumis*）、
2 cm、ヨーロッパで採取。p.133

スズメバチの巣
キオビクロスズメバチ
（*Vespula vulgaris*）、
ヨーロッパに分布。pp.134-135

枝角を持つハエ
フィタルミア・アルキコルニス（*Phytalmia alcicornis*）、フィタルミア・ビアルマタ（*Phytalmia biarmata*）、フィタルミア・ケルヴィコルニス
（*Phytalmia cervicornis*）、1.5 cm、
パプアニューギニアで採取。p.136

眼が飛び出したハエ
アキアス・ロトスキルディ
（*Achias rothschildi*）、
幅3.5 cm、パプアニューギニアで採取。
p.137

ノミ人形
ヒトノミ（*Pulex irritans*）、
5 mm弱、メキシコ製。
p.137

マルガタクワガタ
プリモスマルガタクワガタ
（*Colophon primosi*）、2.5 cm、
南アフリカの西ケープ州で採取。p.138

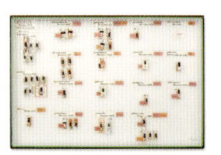

ボマンのクワガタムシ・コレクション
世界各地で採取。p.139

翅のないハエ
モルモトミュイア・ヒルスタ
（*Mormotomyia hirsuta*）、
長さ1 cm、ケニアで採取。p.140

世界最大のハエ
ガウロミダス・ヘロス（*Gauromydas heros*）、
長さ6 cm、ブラジルで採取。p.140

キサントパンスズメガ
キサントパンスズメガ
（*Xanthopan morganii praedicta*）、
口吻の長さ30 - 35 cm、マダガスカルで採取。
p.141

タンブシシオオゴマダラ
タンブシシオオゴマダラ
（*Idea tambusisiana*）、
14 cm、インドネシアで採取。p.142

チリオサムシ
ケログロッスス・ダルウィニイ
（*Ceroglossus darwinii*）、
2.5 cm、チリで採取。p.143

ゾウムシ入りの指輪
テトラボティヌス・レガリス
（*Tetrabothynus regalis*）、
指輪は1.5 cm、ゾウムシは8 mm。
ゾウムシは西インド諸島に生息する種。p.143

バンクスの昆虫コレクション
中が見えているチョウ目シロチョウ科（*Pieridae*）
の標本箱を含め、18世紀の探検航海で採集した
昆虫4000点以上のコレクション。pp.144-145

ロウの"尾"を持つ虫
アラルアサ・ヴィオラケア（*Alaruasa violacea*）、
虫の長さ3 cm、ロウの尾の長さ7.5 cm、
南米で採取。p.146

ピーナツに似た頭を持つ虫
ユカタンビワハゴロモ
（*Fulgora laternaria*）、
翅開長14 cm、中米と南米に分布。p.146

プラチナコガネ
クリシナ・リンバタ（*Chrysina limbata*）、
長さ2.5 cm、コスタリカで採取。
p.147

チャーマーズ＝ハント・コレクション
歴史的な昆虫採集道具コレクション。
pp.148-149

スローンのオウムガイ
ナウティルス・ポンピリウス
（*Nautilus pompilius*）、
フィリピン近海産。pp.153-153

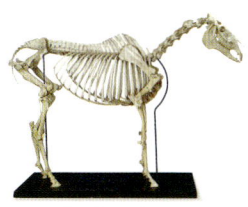

ブラウンジャック
競走馬。pp.154-155

ミック・ザ・ミラー
グレイハウンド。p.155

バーバリライオンの頭骨
北アフリカ西部産。p.156

ケープライオン
南アフリカ南端部で採取。p.157

ニホンオオカミ
ニホンオオカミ（*Canis lupus hodophilax*）、
日本の本州（紀伊半島）で採取。
p.158

エピオルニスの卵
エピオルニス・マキシムス
（*Aepyornis maximus*）
p.159

マリオンのゾウガメ
アルダブラゾウガメ
（*Aldabrachelys gigantea* [sumeirei]）、
甲羅長97 cm、インド洋セーシェル諸島の
ファーカー環礁産、モーリシャスで死亡。
pp.160-161

リョコウバト
リョコウバト（*Ectopistes migratorius*）、
北米東部で採取。
p.162

ホッキョクグマ
ホッキョクグマ
（*Ursus maritimus*）
p.163

オカピの毛皮
オカピ
（*Okapia johnstoni*）
p.164

タスマニアタイガー
フクロオオカミ
（*Thylacinus cynocephalus*）
pp.164-165

スイギュウの角
インドスイギュウ（*Bubalus bubalis*）、
1本の角の長さ2m弱。p.166

ウォレスのオランウータン
ボルネオオランウータン
（*Pongo pygmaeus*）、
ボルネオで採取。p.167

条虫
ディフィロボトリウム・ポリルゴスム
（*Diphyllobothrium polyrugosum*）、
長さ約5m、英国コーンウォール州
ファルマスで採取。p.168

テムズ川のトックリクジラ
キタトックリクジラ
（*Hyperoodon ampullatus*）、長さ6m、
ロンドン中部のテムズ川で2006年1月に採取。
pp.168-169

イエバト
家禽化されたカワラバト
（*Columba livia*）。
p.170

"フリルバック"の家禽ハト
家禽化されたカワラバト（*Columba livia*）、
胸骨にダーウィンの自筆文字。p.170

ダーウィンのマネシツグミ
チャールズマネシツグミ
（*Nesomimus trifasciatus*）、
ガラパゴス諸島のチャールズ島
〔現・フロレアナ島〕で採取。p.171

ガラパゴスの6種のフィンチ
ムシクイフィンチ（*Certhidea olivacea*）、
ガラパゴスフィンチ（*Geospiza fortis*）、
オオダーウィンフィンチ
（*Camarhynchus psittacula*）、
ハシボソガラパゴスフィンチ（*Geospiza difficilis*）、
サボテンフィンチ（*Geospiza scandens*）、
オオガラパゴスフィンチ（*Geospiza magnirostris*）、
ガラパゴス諸島で採取。p.171

ドードーの骨格
複数のドードー（*Raphus cucullatus*）の
骨を組み合わせた骨格、モーリシャスで採取。
p.172

ドードーの模型
ドードー（*Raphus cucullatus*）
p.173

カモノハシ
カモノハシ
（*Ornithorhynchus anatinus*）、
オーストラリアで採取。pp.174-175

偽装されたコキンメフクロウ
モリコキンメフクロウ
（*Athene blewitti*）、
インド中部で採取。p.175

コウテイペンギンの卵
コウテイペンギン
（*Aptenodytes forsteri*）、
南極で採取。p.176

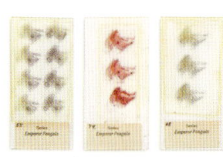

コウテイペンギンの胚子のスライス標本
コウテイペンギン
（*Aptenodytes forsteri*）、
南極で採取。p.176

コウテイペンギン
コウテイペンギン
（*Aptenodytes forsteri*）、
南極で採取。p.177

貝殻の標本箱
エンデヴァー号が1768 - 1771年に採取した
イモガイ属（*Conus*）と
イチジクガイ属（*Ficus*）の貝、
ブラジル、タヒチ、ニュージーランド、
オーストラリアの各地で採取。p.178

史上初の貝殻の本
フィリッポ・ボナンニ著、1684年。
p.179

ゴシキカノコ
ゴシキカノコ（*Neritina waigiensis*）、
最大のものは17.5×19.5 mm、
太平洋南西部で採取。pp.180-181

ニュージーランドのウミツバメ
ニュージーランドウミツバメ
（*Oceanites maorianus*、最初に付けられた学名は
Pealeornis maoriana）、
ニュージーランドのハウラキ湾で採取。p.182

ハミルトンムカシガエル
ハミルトンムカシガエル（*Leiopelma hamiltoni*）、
オス、39 mm、ニュージーランドの
スティーヴンス島で採取。p.183

手袋
ピンナ・ノビリス（*Pinna nobilis*）の足糸で
作られた手袋、290.5×150 mm、
スペインのアンダルシア州。p.184

ホネガイ
ホネガイ（*Murex pecten*）、
152×64 mm、インド洋から太平洋にかけて分布。
pp.184-185

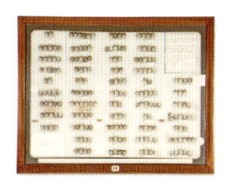

カッコウの卵と仮親の卵
エドガー・パーシヴァル・チャンス
（1881 - 1955）のコレクション。
pp.186-187

カイメン
ディスコデルミア属（*Discodermia*）のカイメン。
p.188

ダイオウイカ
ダイオウイカ（*Architeuthis dux*）、
長さ8.62 m、フォークランド諸島沖2 kmで採取。
p.189

ムカシトカゲ
ムカシトカゲ（*Sphenodon punctatus*）、
長さ50 cm、ニュージーランドで採取。p.190

上海蟹
チュウゴクモクズガニ（*Eriocheir sinensis*）、
英国ケント州のクレイ川で採取、1854年。
p.191

上海蟹のハサミ
チュウゴクモクズガニ（*Eriocheir sinensis*）、
英国ケント州のクレイ川で採取、1854年。
p.191

ハチドリの展示ケース
pp.192-193

シロナガスクジラの模型
長さ27 m。pp.194-195

ブラシュカのガラス模型（タコ）
フィロネクシス・カテヌラトゥス
（*Philonexis catenulatus* Férussac）〔アミダコの別名〕
として販売された模型、長さ19 cm、1883年頃。
地中海と大西洋の個体に基づいて制作された。p.196

ブラシュカのガラス模型（イカ）
オニキア・プラティプテラ（*Onychia platyptera* d'Orbigny）として販売された模型、
長さ 85 mm、1883年頃。
インド洋の個体に基づいて制作された。p.197

シーラカンス
シーラカンス（*Latimeria chalumnae*）
pp.198-199

ゴリラのガイ
ニシゴリラ（*Gorilla gorilla*）、
生存時の体重 240 kg。p.200

象牙
タンザニアのキリマンジャロ山で採取。
p.201

コモド・ドラゴン
コモドオオトカゲ（*Varanus komodoensis*）、
長さ 259 cm、インドネシアのコモド島近くの
リンチャ島で採取。pp.202-203

エジプトのネコのミイラ
p.204

サイチョウの頭骨
サイチョウ（*Buceros rhinoceros*）、
マレー半島、スマトラ島、ジャワ島、
ボルネオ島に分布。p.205

グアム島のミツスイの巣
ミクロネシアミツスイ
（*Myzomela rubratra saffordi*）、
グアム島で採取。p.206

ミツスイとオウギビタキの卵
ミクロネシアミツスイ（*Myzomela rubratra saffordi*）
とオウギビタキ（*Rhipidura rufifrons uraniae*）の卵、
グアム島で採取。p.206

オオウミガラス
オオウミガラス（*Pinguinus impennis*）、
オークニー諸島のパパ・ウェストレイ島で採取。
p.207

ホホジロザメの顎
ホホジロザメ（*Carcharodon carcharias*）
p.208

カリブ海の珍しい貝
フォラドミヤ・カンディダ（*Pholadomya candida*）、
80 × 41.5 mm、英領ヴァージン諸島で採取。p.209

微小なカタツムリ
サンダカンノタウチガイ（*Opisthostoma mirabile*）、
4 mm、ボルネオのゴマントンで採取。p.210

パンダのチチ
ジャイアントパンダ（*Ailuropoda melanoleuca*）、
中国西部原産。p.211

サファイアのオーナメント
直径 35 mm、31.5 カラット、
サー・ハンス・スローン・コレクション。p.214

紡錘形のブルーサファイア結晶
30 × 17 × 17 mm、87 カラット、スリランカ産。
p.214

丸く研磨したブルーサファイア
42×20×23 mm、233 カラット、
スリランカ産。p.215

大理石の中の天然ルビー
60×45 mm、ビルマ（ミャンマー）産、1973年。
p.218

アクアマリン
48×65 mm、898 カラット、
ロシア産。p.222

サファイアの仏像が付いたピン
仏像の高さ20 mm、ビルマ（ミャンマー）産、1842年。
p.215

エドワーズ・ルビー
34×25×10 mm、162 カラット、1887年。
p.219

モルガナイト
45×45 mm、598 カラット、
マダガスカル産、1913年

パパラチアサファイア
18×18×16 mm、57 カラット、
スリランカ産、1967年。
p.216

天然ルビーの結晶
71×42×21 mm、1085 カラット、
ビルマ（ミャンマー）産、1924年。
p.219

ヘリオドール
33×20 mm、133 カラット、
ロシア産、1960年。
p.223

エメラルド
80×63 mm、コロンビア産、1810年。
p.223

スターサファイア
25×18×15 mm、88 カラット、
スリランカ産、1835年。
p.217

イミラック隕石
パラサイト隕石（石鉄隕石）、
550×450×9 mm、
チリのアタカマ砂漠で発見、1822年。
p.220

ウォーターメロントルマリン
27×19 mm、ブラジル南東部ミナス・
ジェライス州産、1935年。
p.224

イエローサファイア
30×20×12 mm、101 カラット、
スリランカ産。p.217

ナクラ隕石
65×65×70 mm、
エジプトのアブー・ホモスで発見、1911年。
p.221

ペリドットの結晶と宝石
結晶は60×50×20 mm、686 カラット。
宝石は24×24 mm、146 カラット。
紅海のザバルガド島産、1924年。
p.225

廃墟大理石
270 × 110 × 10 mm、
イタリアのトスカーナ産。p.226

ブルージョンの壺
高さ1 m、原料の石はイングランドの
ダービーシャー産。p.227

ダイヤモンドの花のブローチ
55 × 40 mm、1850年。
p.228

ダイヤモンドとサファイアのアクセサリー
座金は銀と金、長さ38 mm、19世紀末、
西ヨーロッパ製。p.229

ダイヤモンドの蝶のヘアピン
幅43 mm、西ヨーロッパ製、1830 - 1840年。
p.229

コ・イ・ヌールのレプリカ
再カットの前と後。p.230

コ・イ・ヌールの石膏の型
70 × 55 × 44 mm、1851年。
p.230

石の中のダイヤモンド
55 × 55 × 40 mm、
インドのゴールコンダ産、1923年。
p.231

ダイヤモンドの結晶
40 × 37 × 40 mm、
南アフリカのキンバリー産。p.231

ダイヤモンドの結晶
70 × 42 × 40 mm、
南アフリカのキンバリー産。p.231

オパールと金のネックレス
宝石の付いている部分の幅は15 cm、1958年。
pp.232-233

天然オパールの入った岩石
55 × 35 × 25 mm、オーストラリアの
クイーンズランド州産。p.233

ブラックオパール
40 × 40 × 8 mm、131カラット、オーストラリアの
ニューサウスウェールズ州産、1949年。
p.234

呪われたアメジスト
長さ80 mm。p.235

黄鉛鉱の結晶
250 × 250 × 100 mm、
米国アリゾナ州産。p.236

トパーズ
85 × 65 mm、2982カラット、
ブラジル南東部ミナス・ジェライス州産、1865年。
p.237

インペリアルトパーズの結晶
110×30×20 mm、ブラジル南東部
ミナス・ジェライス州産、1883年。
p.237

プラチナのナゲット
80×50×40 mm、ロシアのウラル山脈産、1875年。
p.240

アレキサンドライトの宝石
15×15 mm、27カラット、スリランカ産、1873年。
p.245

インペリアルトパーズの宝石
23×21 mm、96カラット、
ブラジル南東部ミナス・ジェライス州産、1889年。
p.237

ヒスイ
長さ1 m以上、527 kg、
シベリアのイルクーツク産。
pp.240-241

"ウェリントンの楡の木"の戸棚
122×76×47 cm。
p.246

スピネルの結晶
140×100×100 mm、
ベトナムのルック・イェン産、2007年。
p.238

マーチソンの嗅ぎタバコ入れ
88×62×20 mm、1867年。
pp.242-243

測角器
高さ300 mm、1892年。
pp.246-247

スピネル
50×50×20 mm、519カラット、
ビルマ（ミャンマー）産、1862年。
p.238

ホープ・クリソベリル
22×20 mm、45カラット、
ブラジル産、1866年。
p.244

銀の針金状結晶
針金状の部分の長さ150 mm、ノルウェーの
ブスケルー県コングスベルグ産、1886年。
p.248

ラトローブの金のナゲット
120×60×35 mm、オーストラリアの
ヴィクトリア州産、1853年。
p.239

アレキサンドライトの結晶
90×120×100 mm、
ロシア中部ウラル山脈産、1841年。
p.245

銅の塊
200×110×70 mm、3 kg、
現在のカナダのノースウェスト準州産、1771年。
p.249

索 引

【総監修者】

篠田 謙一（しのだ　けんいち）

国立科学博物館副館長、同館人類研究部長。専門は分子人類学。主な著書に『DNAで語る日本人起源論』（岩波書店）、『日本人になった祖先たち』（NHK出版）、監修した展覧会に「生命大躍進展」（2015-16）、「インカ帝国展」（2012-13）などがある。

【監修者】

奥山雄大（おくやま　ゆうだい）

国立科学博物館植物研究部多様性解析・保全グループ研究員。専門は植物進化学、生態学。主な編著書に『種間関係の生物学：共生・寄生・捕食の新しい姿』（文一総合出版）『改訂新版　日本の野生植物　2巻』（平凡社）など、監修した展覧会に「植物vs昆虫展」（筑波実験植物園企画展、2012）などがある。

川田 伸一郎（かわだ　しんいちろう）

国立科学博物館動物研究部研究主幹。専門は哺乳類分類学及び生物学史。主な著書に『モグラ博士のモグラの話』（岩波書店）、『モグラ，見えないものへの好奇心』（東海大学出版会）などがあるほか、月刊誌『ソトコト』でコラム「標本バカ」を連載中。監修した展覧会に「大哺乳類展」（2010）、「日本の自然を世界に開いたシーボルト」（2016）などがある。

清 拓哉（きよし　たくや）

国立科学博物館動物研究部研究員。専門は不完全変態昆虫（トンボなど）の分類学・系統地理学。主な著書に『ナチュラリスト　シーボルト』（共著、ウッズプレス）など、監修した展覧会に「日本の自然を世界に開いたシーボルト」（2016）などがある。

真鍋 真（まなべ　まこと）

国立科学博物館標本資料センター・コレクションディレクター（センター長）。専門は爬虫類・鳥類の古生物学。主な編著書に『古生物学事典』（朝倉書店）、『進化学事典』（共立出版）など、監修した展覧会に「恐竜博2016」（2016-17）、「大恐竜展：ゴビ砂漠の驚異」（2013-14）などがある。

門馬 綱一（もんま　こういち）

国立科学博物館地学研究部研究員。専門は鉱物学。主な著書に『図説 鉱物の博物学』（共著、秀和システム）、監修に『小学館の図鑑 NEO 岩石・鉱物・化石』（小学館）、監修した展覧会に「元素のふしぎ」（2012）、「ヒカリ展」（2014-15）などがある。

矢部 淳（やべ　あつし）

国立科学博物館地学研究部研究主幹。専門は古植物学。主な著書に『砂漠誌：人間・動物・植物が水を分かち合う知恵』（共著、東海大学出版会）、『ウォッチング日本の固有植物』（共著、東海大学出版会）、監修した展覧会に「大アマゾン展」（2015）、「太古の哺乳類展」（2014）などがある。

米田 成一（よねだ しげかず）

国立科学博物館理工学研究部理化学グループ長。専門は宇宙化学・隕石学。主な著書に『地球と宇宙の化学事典』（分担執筆、朝倉書店）、監修した展覧会に「元素のふしぎ」（2012）、「ノーベル賞110周年記念展」（2011-12）などがある。

【訳者】

武井摩利（たけい　まり）

翻訳家。訳書にM・D・コウ『マヤ文字解読』（創元社）、T・グレイ『世界で一番美しい元素図鑑』（同）、R・ケスラー、M・ハーレー『世界で一番美しい花粉図鑑』（同）、R・ケスラー、W・シュトゥッピー『世界で一番美しい種子図鑑』、『世界で一番美しい果実図鑑』（同）など。

Treasures of the Natural History Museum was first published in England in 2008
by the Natural History Museum, Cromwell Road, London SW7 5BD.
Copyright © 2008 The Natural History Museum
Photography copyright © As per the Picture Credits
This Edition is published by Sogensha, Inc. by arrangement with The Natural History Museum, London through Tuttle-Mori Agency, Inc., Tokyo

PICTURE CREDITS
p.40 © Wayland Kennet; p.41 © Mark Russell; p.81 © Bill Schopf.
All other images © Natural History Museum, London.

大英自然史博物館の《至宝》250

2017年3月1日第1版第1刷　発行

編　者	大英自然史博物館
日本語版監修者	国立科学博物館
訳　者	武井摩利
発行者	矢部敬一
発行所	株式会社 創元社

http://www.sogensha.co.jp/
本社 〒541-0047 大阪市中央区淡路町4-3-6
Tel.06-6231-9010 Fax.06-6233-3111
東京支店 〒162-0825 東京都新宿区神楽坂4-3 煉瓦塔ビル
Tel.03-3269-1051

執筆協力	ヴィッキー・パターソン
装丁・組版	寺村隆史
印刷所	図書印刷株式会社

© 2017, Printed in Japan ISBN978-4-422-44008-8 C0045